mamãe, eu quero

sonia hirsch

mamãe, eu quero

guia prático de alimentação
para crianças de todas as idades

A pesquisa foi orientada
paciente e alegremente
por Bárbara Joels Simas,
a mãe da Lydia e da Julia,
e este livro é dedicado
a Bruno Armando e a Vicente
em nome de todos os bebês do mundo.

Branca

a

leite

Antes de mais nada: leite, só de mãe. Todo animal mamífero mama no peito até poder alimentar-se sozinho, mas é no peito de sua própria mãe. As histórias de Rômulo e Remo, amamentados por uma loba, e de Tarzan, criado por uma macaca, e de Mowgli, criado também por uma loba, são meras exceções que confirmam a regra: leite, só de mãe.

sangue

Leite é sangue que deixa de correr pelo umbigo e sai pelo bico do seio. Até do masculino, afirmam as Amigas do Peito, se for bem sugado: a glândula desperta. As mães-de-leite que o digam, se é que ainda existem, criando no peito o filho dos outros — que passava a ser seu, com seu sangue circulando pelas veias.

E na boca a criança começa a aprender. Tem que puxar, tem que querer, às vezes chora de tão difícil que é no comecinho. Para a mãe às vezes também é difícil, encontrar a melhor posição às vezes leva uns dias, às vezes cansa. Mas sempre acabam se ajeitando. Da boca do neném o leite desce para o estômago, de lá para os intestinos, ativando no corpinho tudo aquilo que está pronto a funcionar. Devagar, devagarinho, deixando o tempo passar...

arrotos

golfadas

Botou pra arrotar? Arrotou? Golfou? É normal. Golfada é uma sobra pequena de leite, diferente do vômito, que é grande e sai com muita força. Golfar acontece de vez em quando. Mas arrotar tem que ser sempre, até duas ou três vezes depois de mamar, ou mesmo no meio da mamada, senão o bebê fica agoniado.

E ele dorme, come, cresce. Logo abre os olhos, logo dá um risinho, vai ficando com um jeito que é só seu. Acorda somente pra mamar ou porque está molhado e se sente incomodado. Não está pronto pra ir à luta, tem que ser cuidado, e sobretudo tem muito direito ao que é seu: como diz minha mãe, aquele leite ali do peito o bebê trouxe com ele. É dele, não lhe pode ser negado.

leite fraco

— Ah, mas me disseram que meu leite é fraco...

Fraco? Estão aí os organismos mundiais de saúde para atestar: mesmo o leite da mãe anêmica, aquela típica biafrense, é nutritivo para o filho. As reservas biológicas da mãe se escoam todas para o filho. Mãe, só tem uma. Leite, só de mãe.

leite de vaca

— Ah, mas um leitinho de vaca bem fresquinho... Eu fui criado com leite de vaca, sabe? A gente tomava uns dez litros por dia lá na fazenda. Era bom demais...

Tirem-me da frente de uma tigela de nata! Leite de vaca é uma gostosura, e também se não fosse não fazia o sucesso que faz. Docinho, né? Mui doce, três vezes mais que o leite humano. O açúcar dele se chama lactose. Para digerir essa lactose o pâncreas tem que fabricar uma enzima chamada lactase, ase, com a. Mas vejam só, na maior parte do planeta você só produz essa enzima até, no máximo, os 7 anos de idade. Daí para a frente a natureza acha que já dá pra você se virar sem leite, e até sem mãe, que afinal você já tem todos os dentes.

lactose

pâncreas

lactase

Mas vamos supor que você goste de um leitinho, então todo dia vai lá e pá, café com leite, copinho de leite no bar, leitinho quente antes de deitar. E o intestino péssimo, cheio de gases; o fígado esquisito; alergia na pele; peito encatarrado; uma sensação de cansaço, vista fraca, preocupações intensas.

fígado

gases.

alergia

Vai ao médico. Exames. Paranóias. Remédios.

Agora, pega uma lente de aumento e olha bem no fundinho do diagnóstico que tá lá: deficiência de lactase, ase, com a, a enzima que dissocia o açúcar do leite.

Sutil, não é mesmo?

Nada errado com o leite: você é que é deficiente, viu?

E ainda por cima, sabe-se lá com que você andou misturando esse leite?

judeus

Quê? Com carne? Valha, que as pragas de Moisés não te caiam sobre a cabeça. Imagine que a religião judaica é cheia de recomendações alimentares, e uma delas diz para nunca misturar o leite da mãe com o sangue do filho. Passando por alto parece uma coisa assim romântica, sentimental, quando eu era pequena pensava que era para a vaca não ficar triste porque o filho ia ser comido, mas não é bem isso. É que tanto a carne quanto o leite são proteínas completas, o que já dá um certo trabalho ao estôma-

leite

com carne

proteínas

go, e ainda por cima são de tipos completamente diferentes. O suco digestivo que serve para a carne não serve para o leite. Isso quer dizer que logo apodrece algo no reino do estômago, às vezes pinta como azia, má digestão, salta um sal de fruta!

estômago

Carne e queijo, queijo e ovo, ovo e leite, ovo e carne, cuidado. E a mesma coisa com relação à mistura com proteínas vegetais: se você juntar feijão com ovo, um dos dois provavelmente não será digerido e aí o seu bem-estar dança.

feijão com ovo

— Ah, mas um leitinho... E de mais a mais, de onde meu filho vai tirar cálcio se não beber leite?

cálcio

Boa pergunta. Mas de onde a vaca tira tanto cálcio? Do capim. Elefantes e outros herbívoros de grande porte também. As folhas verde-escuras da mostarda, da couve, da salsa, das algas marinhas, o gergelim, a castanha-do-pará, alguns chás como o banchá e o chá verde, misso, dente-de-leão, folhas de nabo, trigo-sarraceno, grão-de-bico, queijo de soja, soja verde, feijão, melado de cana: tudo isso tem cálcio, e muito.

folhas verde-escuras
algas marinhas
gergelim

Agora vê:

fontes de cálcio

100 gramas de leite humano	35 mg de cálcio
100 gramas de leite de vaca	118 mg de cálcio
100 gramas de leite de cabra	129 mg de cálcio
100 gramas de queijo de soja	128 mg de cálcio
100 gramas de salsa	203 mg de cálcio
100 gramas de grão-de-bico	150 mg de cálcio
100 gramas de gergelim	1160 mg de cálcio
100 gramas de alga hijiki	1400 mg de cálcio
100 gramas de alga kombu	800 mg de cálcio

Pois é. E as fontes vegetais de cálcio são todas fáceis de assimilar. A proteína do leite materno, albumina, é própria para gente digerir. Mas a caseína, que é a proteína do leite de vaca, é barra pesada. Pode deixar seu bebê com diarréia, mal-estar, alergias. Por isso é que os antigos tomadores de leite preferiam sempre coalhada, iogurte, leitelho, queijo. O processo de fermentação pré-digere as proteínas. De qualquer forma, como uma alimentação rica em leite de vaca sempre vai ser excessiva em relação às

coalhada

necessidades humanas, o excesso irá se depositando pelos cantos. Em forma de gordura sob a pele; como catarro pegajoso nos brônquios, intestinos e pulmões; como açúcar, infernizando um tanto a vida do pâncreas e do fígado e depois se convertendo também em gordura; e finalmente como excesso mesmo, proteína não assimilada que fica rolando pelo sangue e acaba infeccionando em algum lugar. Espinhas são isso, proteína que apodreceu e o corpo quer eliminar.

gordura
catarro

espinhas

Tem mais: o leite que se vende por aí quase não tem gordura, e a gordura natural do leite é fundamental para a absorção do cálcio. Tanto que até o governo americano já recomendou que se substitua o leite desnatado pelo integral.

Outra coisa: não há um consenso científico sobre as nossas necessidades diárias de cálcio, porque isso varia muito de pessoa para pessoa. A gente transmuta os alimentos dentro do corpo, sintetiza o que antes não existia, absorve até mais do que precisa. Excessos de cálcio vão criar vértebras calcificadas, articulações duras, cálculos renais. Mas, como referência, o que se tem dito é que crianças precisam de 400 a 500 mg por dia, adultos 800 mg, adolescentes, grávidas e mães amamentando 1200 mg; e é bom lembrar que o sol e os exercícios fixam o cálcio no organismo, da mesma forma que a mastigação fixa o cálcio nos dentes.

cálculos
calcificações

sol
exercícios

O bebê mama, dorme, cresce.

Depende todinho de você.

Quando está nervoso, é o calor do seu corpo que o acalma.

Então, me diga: você acha mesmo que uma vaca se preocuparia com ele tanto quanto você?

E a Nestlé?

Bom senso, mamãe: as papinhas da Nestlé não são o melhor para o seu bebê. Já pensou em namorar uma múmia de 3000 anos? Pois então, para o tempo que dura um legume fresco, os potes de papinha são mais que antigüidades. E ainda por cima, cheias de conservantes. Já dizia o sábio: a riqueza da natureza jaz em seu poder de alimentar todos os seres, concedendo-lhes ainda beleza e esplendor. O alimento fresco nutre também com energia e vitalidade. Seu bebê mamou no seio pelo menos de 6 meses a 1 ano de idade? Ótimo. Agora é passá-lo suavemente para o seio da mãe natureza, assim seu desenvolvimento será harmonioso e garantido.

a energia dos alimentos

Há quem amamente até os 2 anos, há quem prefira parar mais cedo. Tudo vai das circunstâncias, e é uma questão íntima entre mãe e filho. Desmamar antes do tempo pode deixar a criança insegura, carente, fraca; amamentar demais pode tornar-se um obstáculo para o enriquecimento da alimentação. O certo é que nessas horas vale mais do que nunca a intuição. O leite da mãe é tão perfeito que se altera segundo as necessidades do filho; existe uma forma biológica de comunicação entre quem gerou e quem foi gerado; de qualquer modo, é natural que ao surgirem os primeiros dentes, ali pelos seis meses, a criança já sinta interesse por comida.

desmamar

intuição

Aí você pode experimentar o leite de grãos integrais, que é uma comidinha bem completa. Faz-se em casa com a maior facilidade, assim:

leite de grãos

4 colheres de arroz integral
2 colheres de arroz moti ou aveia em grão
½ colher de trigo ou cevada
½ colher de feijão azuki ou lentilha
½ colher de gergelim claro
4 partes de água para 1 de sólidos

Cozinhe em fogo bem baixo, durante três horas, com a panela tampada e de preferência grossa, de ferro então nem se fala: o leite levará consigo partículas de ferro para enriquecer o sangue. Mexa de vez em quando para não grudar no fundo. E sem nadinha de sal, que o sal contrai e atrapalha o crescimento do bebê.

Pronto? Na superfície ficou a parte mais rala, que chamamos de leite. No fundo ficaram os grãos, bem molinhos: é a papa. Passando a papa na peneira, parece petisco dos deuses: é o creme. E o bagaço você aproveita pra fazer pão, sopa ou bolinhos.

Com o bebê de 6 meses você começa usando o leite com um pouquinho de creme (são as fibras, importantes para os intestinos) e uns pedaços de cenoura e chuchu, bem cozidos e peneirados. E nada de mamadeira, vá dando de colherinha para a coisa ter ar de novidade e veja como ele já reage com movimentos de mastigar. Isso é muito bom porque estimula o suquinho gástrico lá dele para um alimento diferente, e aí novamente o bebê aprende.

Antes só mamava leite de mãe. Que é que tem no leite da mãe?

tabela química do leite materno

88.2% de água
61 calorias
1.4 g de proteínas
3.1 g gorduras
7.1 g carboidratos
0.2 g cinzas
35 mg cálcio
25 mg fósforo

0.2 mg ferro
15 mg sódio
120 UI vitamina A
0.02 mg vitamina B1
0.03 mg vitamina B2
0.2 mg niacina
5 mg vitamina C
e nadinha de fibras

proteína
gordura
carboidratos
vitaminas
minerais
fibras
cocô

Pois bem, ele agora vai precisar desses mesmos nutrientes naturais, só que em outras quantidades. Proteínas e gorduras para crescer, carboidratos para alimentar esse crescimento, sais minerais para manter o equilíbrio entre as coisas, vitaminas para ajudar a absorver isso tudo. E fibras, para fazer um cocô bem bonito.

Dê uma olhadinha na tabela para ver o que a nova comida contém:

tabela química do leite de grãos

11.27% água
370 calorias
10 g proteínas
5.16 g gorduras
71.7 g carboidratos
1.43 g fibras
1.63 g cinzas
94.21 mg cálcio
285.66 mg fósforo
2.82 mg ferro
12.6 mg sódio
259.28 mg potássio
1.8 UI vitamina A
0.38 mg vitamina B1
0.05 mg vitamina B2
4.25 mg niacina
e nada de vitamina C

salsa fresca

Como complemento desse leitinho você dá também uma colherinha de sumo de salsa fresca: põe a salsa num paninho, com talo e tudo, soca e espreme. Cada 100 gramas de salsa contêm 8.500 unidades de vitamina A e 172 mg de vitamina C. Engrosse com mais creme se o cozinho do bebê se mostrar muito aguado, e não se esqueça da sobremesa: o seu peito, é claro, que afinal é aos poucos que se desmama um bebê!

horários

Horários? Digamos que no primeiro mês do desmame você substitua pelo leite de cereais a mamada da hora do almoço, começando a introduzir as papinhas de legumes no novo prato e a dar mais quantidade de creme assim que o bebê se mostrar mais faminto, ou receptivo. No segundo mês, substitui também a mamada da hora do jantar. No terceiro mês substitui a mamada do lanche, juntando uma fruta cozida ao leite de cereais, ou fazendo um mingau. No quarto mês, desmama geral. Com 1 ano de vida a sua criança deve estar preparada para comer de tudo.

E na página 92 tem mais detalhes.

C

Começamos vida nova, nós e o bebê. Que luxo, já estamos querendo comer! Quer dizer então que a coisa acontece quando se põe na boca, né? Interessante. Não fosse a falta de coordenação motora, o bebê comia tudo o que vê. Nessa fase é a grande descoberta, ainda mais que os dentes brotando certamente querem dizer alguma coisa.

verdes

Vamos com calma. Que tal um pouco de creme de grãos pra se lambuzar? Misturado, é claro, com salsa aferventada e bem batidinha, na base de 1/5 da refeição. Coisas verdes, importantes neste nosso planeta onde circula oxigênio. É só sair da cidade e dar uma olhadinha em volta que a gente compreende como os verdes têm a ver, dentro e fora de nós. Fora eles limpam o ar: inspiram gás carbônico e devolvem oxigênio. Dentro, limpam também. E a palavra é? Clorofila!

clorofila

hemoglobina

magnésio

ferro

Mágica. A clorofila é uma molécula verde. A hemoglobina é uma molécula vermelha. O núcleo da clorofila é magnésio, o núcleo da hemoglobina é ferro. Você come um raminho de salsa, as moléculas de clorofila entram no corpo, atraem as partículas de ferro disponíveis e viram hemoglobina: células vermelhas do sangue, que fazem o transporte de oxigênio pelo corpo.

É aquela velha história de que o de baixo é igual ao de cima, o que está dentro está fora, tudo que tem frente tem dorso e nada tem princípio nem fim.

historinha da Terra

Viemos de uma velha bola de fogo que girava no espaço, irradiando muito calor.

a água

Pouco a pouco, durante milhões de anos, ela foi esfriando, até que um dia aconteceu uma coisa nova: choveu. É que o oxigênio e o hidrogênio que existiam na atmosfera puderam finalmente se encontrar e formar a água. E dessa mistura de água com ex-bola de fogo é que surgiu a Terra.

os rios

No começo era aquele lamaçal. Depois as águas foram se organizando em rios que corriam todos para o mesmo lugar, e esse lugar, mais fundo, ficou sendo o imenso mar. Que é salgado assim porque os rios carregaram para lá o sal da terra.

A terra foi secando.

o solo

Por essa altura, uns 400 milhões de anos atrás, os vírus e bactérias que sobreviveram ao fogo original já tinham dado origem a dois tipos de vida no planeta: a vegetal e a animal. A vegetal presinha na terra, a animal solta por aí. A vegetal comendo pelas raízes e a animal comendo pela boca. A vegetal servindo à animal e a animal à vegetal.

primeiros vegetais.
primeiros animais

As primeiras formas vegetais foram o lodo e as algas marinhas; os primeiros animais, os invertebrados do mar.

Quando a terra secou, brotaram as primeiras folhinhas de mato. No mar já existiam animais vertebrados e deles foram surgindo os anfíbios, que vivem tanto na água quanto na terra. Milhões de anos depois aparecerem os répteis, os pássaros e as plantas da pré-história; outros milhões de anos e já encontramos gorilas, vegetação moderna, plantas com sementes e árvores frutíferas — e enquanto isso a terra vai esfriando mais e mais.

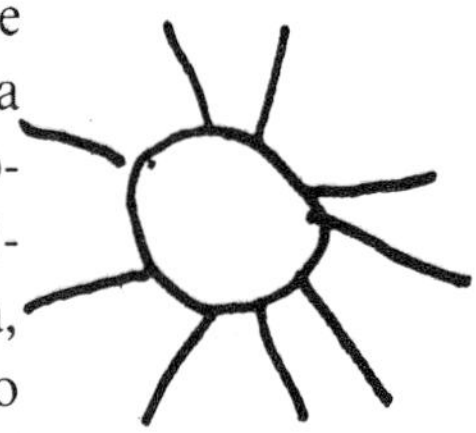

frio

fogo

macaco

A essa altura, o frio que matou aquelas formas tão expandidas da vida pré-histórica aumentou e foi fazendo a família do macaco se interessar pelo fogo para se aquecer. E olhe que o macaco já era bem peludo para quem, afinal, nasceu no mar. Mas a necessidade é a mãe de todas as invenções. O homem primitivo tinha menos pêlos e sentia muito frio; dominou o fogo e começou a modificar a natureza para poder sobreviver. E enquanto isso, no reino vegetal surgiam as ervas e os cereais.

20 milhões de anos atrás

Isso foi há 20 milhões de anos.

De lá para cá, as algas marinhas não mudaram em nada. As abelhas, que surgiram um pouco mais tarde, também não mudaram em nada. Algas e abelhas têm uma coisa em comum — comem exatamente as mesmas coisas que sempre comeram.

homem;
1º animal racional

Mas e o homem primitivo, então, por que mudou? Porque tinha mãos para cavar e cavou raízes, que comeu, e tinha pés para subir nas árvores e colher frutas à vontade, e tinha o fogo para cozinhar o que era duro, e tinha mais: era xereta. Via a galinha comer minhoca, punha na boca, comia. Via os herbívoros comerem folhas verdes, também comia. Foi assim, xeretando, que modificou sua natureza até virar o que chamamos de humano: um animal superior, racional.

cozinhando

A comida que caracteriza o ser humano é cozida. São os cereais e as ervas da era humana que se transformam, através do fogo, em nutrientes especialíssimos que desenvolvem a inteligência.

inteligência

Os pintinhos, os bezerrinhos, as oncinhas não precisam aprender a comer. Já nascem sabendo, comem pelo instinto. Mas nós, os cidadãos do mundo, não sabemos de nada — ainda mais no século 20, o primor da confusão industrial. A batalha da sobrevivência cada vez mais dura e desumana, as carências de afeto aumentando, as profissões se esvaziando, os valores mudando a cada dia, tudo isso confunde o discernimento e leva a gente a comer coisas que nem sabe por que está comendo — e enfraquece a espécie em todos os sentidos.

caos moderno

Por isso é que tem muita mãe que não amamenta, dizendo que leite em pó é mais forte, tem muito médico se suicidando aos poucos porque não entende de nutrição, tem muita gente de talento servindo de joguete para os poderosos, tem muita irresponsabilidade no poder.

É o desgaste de uma sociedade consumista e burra, que precisa ser melhorada.

pela boca?

E quem sabe se não melhora pela boca?

De todas as cores: abóbora, cenoura, mandioquinha amarela (que no Rio se diz baroa), verde-claro chuchu, branco creme de arroz, amarelinho creme de milho, verde de novo na salsa, marronzinho do feijão, beje do trigo, florido da couve-flor e do brócolis, verde-escuro amarguinho da mostarda ou docinho como a couve, concha branca de cebola: é infinito o universo de amigos do bebê. Porque ele pode ter muita roupinha, muito brinquedo e muita madrinha, mas o que vai valer mesmo é aquilo que ele comer. Se ele for forte, ganha o mundo sozinho.

Essa força, de onde vem? Se é de tudo o que comemos, será também de respirar o ar? Será de tudo o que ouvimos, tudo o que pensamos e tudo o quanto passa pelo olhar? E tem mais os centros de energia, a mente, o mistério: será que Deus nos fez mesmo a sério?

Porque, se fez, só nos resta tentar entender como funciona. Que nem o seu bebê aí, todo lambuzado de legumes cozidinhos que desmancham na boca, tentando entender como é que funciona.

Um dia ele entende. Até um ano e meio a brincadeira mais fantástica que existe para ele é comer. "Que coisa, vejam só!", ele pensa. "Essas coisinhas pegáveis eles não tiraram da minha frente! Será que eu devo? Ou mamãe vai zangar? Acho que devo. Mmm, essa aqui, da cor da minha roupa... Dedinhos... Peguei! Ih, virou dois..."

Parece papo de maluco, mas cabeça de bebê é assim mesmo, vai fundo no que está acontecendo ali agora, não se liga nem um pouco na lógica.

lógico

Quem vai ter que dar a lógica é você.

Mas não se preocupe: é uma troca. Seu bebê ensina a você uma lógica para ele.

os 5 estágios da energia que se transforma sempre

A começar por aqui: veja na tabela o ano em que ele nasceu e descubra se a energia dele é de Água, Madeira, Fogo, Solo ou Metal.

Os números de 1 a 9 correspondem às vibrações dos nove planetas do sistema solar.

Água, Madeira, Fogo, Solo e Metal são os cinco símbolos da transformação da energia em seu ciclo: primeiro ela flutua, e temos a água, depois se expande através da madeira, a madeira gera o fogo, do fogo sai a terra, a terra se densifica em metal. Energeticamente falando, é claro.

Você pode não acreditar em astrologia, e também pode achar que não existe relação nenhuma entre o nosso corpo e os corpos celestes, ou até pensar que não se pode ficar falando de energia assim, mas este sistema oriental dá certo há milhares de anos. Revela características da personalidade e do temperamento, indica os pontos fortes e os vulneráveis da pessoa, dá dicas e toques preciosos.

Confira!

tabela dos elementos

elemento	ano de nascimento a partir de 6 de fevereiro									
9 Fogo	1	10	19	28	37	46	55	64	73	82
8 Solo	2	11	20	29	38	47	56	65	74	83
7 Metal	3	12	21	30	39	48	57	66	75	84
6 Metal	4	13	22	31	40	49	58	67	76	85
5 Solo	5	14	23	32	41	50	59	68	77	86
4 Madeira	6	15	24	33	42	51	60	69	78	87
3 Madeira	7	16	25	34	43	52	61	70	79	88
2 Solo	8	17	26	35	44	53	62	71	80	89
1 Água	9	18	27	36	45	54	63	72	81	90

1 Água

A água é líquida, quer dizer, não fica no ar como o gás nem pára em pé como a terra. Contém o sólido e o gasoso, e é impossível pensar na vida sem ser a partir dela. É o primeiro estágio no caminho da energia.

A criança de Água (o adulto também, claro) costuma ter tendências flutuantes, instáveis. Adapta-se com facilidade às pessoas e situações, geralmente todos a consideram uma gracinha, mas ela pode ser um pouco indecisa demais, desorientada. A cor branca da água na realidade é transparente, da mesma forma que a personalidade de alguém de Água. E como a água, que corre por todos os caminhos, esse alguém tende a lidar com comunicação e criatividade.

De acordo com o I Ching, o Livro das Mutações, seu trigrama é ☵, K'an, o Abismal. Diz lá na maravilhosa interpretação do Richard Wilhelm, editada no Brasil pela Pensamento: "Aplicado ao homem, representa o coração, a alma aprisionada no corpo, o princípio da luz contido na escuridão, ou seja, a razão." E indica um perigo de precipitação.

horóscopo oriental para quem nasceu em anos terminados em 9, 18, 27, 36, 45, 54, 63, 72, 81, 90

Os órgãos mais ativos em Água são, como não podia deixar de ser, os que lidam com os líquidos: rins, bexiga, órgãos sexuais e glândulas adrenais.

A Água inibe o Fogo, então o que é de Fogo tende a enfraquecer: coração, intestino delgado e mais as funções dos meridianos Vaso-governador e Triplo-aquecedor.

A criança de Água pode suspirar e chorar muito.

Os alimentos especialmente bons para ela são o trigo-sarraceno (cacha), o feijão vermelho pequenino (azuki), as verduras de folhas mais grossas como a couve e o repolho e também as pontudas como a chicória e o almeirão, as algas marinhas. O sabor que a fortalece é salgado. Por isso essa criança pode sentir muito desejo de comer doces, em conseqüência de abusos do sal.

Aí é que entra o velho ditado: a diferença entre o remédio e o veneno está na dose. Água precisa de sal, mas muito sal contrai os rins, os vasos sangüíneos, o coração e o intestino. Aí, pelo desequilíbrio, acaba-se comendo exatamente o que não se deve.

O que Água não deve: abusar de sal, líquidos, doces, frutas e legumes crus, coisas assadas, estimulantes, comidas e bebidas geladas. E jamais deve fazer uma dieta à base de vegetais redondos como repolho, abóbora, beterraba, inhame, nabo, rabanete, cebola, por aí.

Água precisa de uma certa independência para ir à luta e se descobrir. Excesso de proteção, orientação ou críticas podem gerar um comportamento medroso, cínico, frio. Um ambiente social ativo e um cotidiano variado lhe fazem bem, principalmente porque estimulam sua criatividade.

2 Solo

O solo é sólido, as pessoas de Solo são geralmente mais estáveis, centradas, seguras. Solo 2, vizinho à água, é lama, a forma mais expansiva de solo; também as pessoas de Solo tendem a ser expansivas, sociáveis, muito interessadas no mundo cultural e político, e às vezes idealistas demais.

horóscopo oriental para quem nasceu em anos terminados em 8, 17, 26, 35, 44, 53, 62, 71, 80, 89

No I Ching, o trigrama é ☷, K'un, a mãe, o receptivo, terra. "As linhas abertas representam o poder primordial, maleável e receptivo de Yin", diz Wilhelm. E Yin faz dupla com Yang. Yin é o receptivo, Yang é o criativo; Yin deve deixar-se completar por Yang, pois juntos são perfeitos.

Os órgãos mais ativos em Solo, seja ele o 2, o 5 ou o 8, são o baço, o pâncreas e o estômago. Isso não quer dizer que sejam os mais fortes, às vezes precisam justamente de reforço por serem tão ativos.

O Solo absorve a Água, então os órgãos de água tendem a enfraquecer: rins, bexiga, glândulas adrenais e órgãos sexuais.

Assobiar, cantar ou cantarolar muito são manifestações comuns nas pessoas de Solo.

Comidas que fortalecem Solo: painço (é um cereal miúdo, amarelo, que se dá a passarinhos, e que em São Paulo já se encontra descascado), vegetais redondos, sabor doce.

E justamente a atração pelo sabor doce pode enfraquecer muito alguém de Solo: um consumo ligeiramente mais alto de açúcar vai estimular o pâncreas e produzir insulina demais e o resultado em geral é hipoglicemia.

Solo deve evitar laticínios, farinha refinada, excesso de doces e comida gordurosa; também não deve abusar de aveia, cevada, trigo, brotos e coisas ácidas.

Um bebê de Solo precisa de um ambiente tranqüilo, de pessoas em quem possa confiar e de muita sinceridade: um comportamento desconfiado e arrogante é sintoma de desequilíbrio.

A natureza faz muito bem às pessoas de Solo. É bom estimular essa criança a lidar com a terra e ao mesmo tempo incentivar sua criatividade.

3 Madeira

horóscopo oriental para quem nasceu em anos terminados em 7, 16, 25, 34, 43, 52, 61, 70, 79, 88

Taí uma coisa bem pra cima, poética, ideal, comovente: árvore. As pessoas de Madeira são assim, e também muito ativas, cheias de energia e curiosidade, bem o tipo da personalidade primaveril. Mas em termos práticos podem ser um fracasso.

O trigrama é ☳, Chen, o incitar, trovão. "Representa o filho mais velho, aquele que se apodera do comando, enérgica e poderosamente. Uma linha Yang surge abaixo de duas linhas Yin e se eleva com vigor. Esse movimento é tão violento que provoca terror. Ele tem como símbolo o trovão que irrompe da terra, causando com seu impacto temor e tremor." Wilhelm, edição Pensamento.

Os órgãos mais ativos em Madeira são o fígado e a vesícula biliar; Madeira inibe o Solo, então pode haver um enfraquecimento do baço, do pâncreas e do estômago, que são os órgãos de Solo.

Gritar e discutir são manifestações freqüentes. As comidas melhores para Madeira são trigo, aveia e cevada; aipo, alho-porró e outros verdes de crescimento rápido; brotos de terra e de vidro.

O sabor é ácido.

O equilíbrio é prejudicado por qualquer excesso de gordura, óleo, comidas pesadas, doces, temperos e álcool; Madeira deve evitar também o abuso de líquidos, frutas, açúcar e coisas assadas.

A criança de Madeira precisa de muito apoio, estímulo e liberdade para tomar suas iniciativas e se desenvolver, pois se for continuamente reprimida tenderá a ter o fígado e a vesícula complicados. É bom deixá-la consigo mesma de vez em quando e é bom também ensiná-la a organizar sua própria vida; com tanto potencial criativo, idealismo, talento artístico, espiritualidade e romantismo, a criança de Madeira pode tropeçar nas próprias pernas.

4 Madeira

horóscopo oriental para quem nasceu em anos terminados em 6, 15, 24, 33, 42, 51, 60, 69, 78, 87

É a madeira mais velha, amadurecida. Menos idealista e romântica que a 3, mais prática e ambiciosa em seus empreendimentos.

No I Ching o trigrama é ☴, Sun, a suavidade, o penetrante vento. Diz lá no Wilhelm: "Representa a filha mais velha e simboliza vento ou madeira. Tem como atributo a sua vidade, que é penetrante como o vento ou como a Madeira em suas raízes."

O restante é igual a Madeira 3.

horóscopo oriental para quem nasceu em anos terminados em 5, 14, 23, 32, 41, 50, 59, 68, 77, 86

5 Solo

Entre 1 e 9, 5 é o meio; a direção de Solo 5 é o Centro; amarelo é a cor mais equilibrada do espectro solar. Assim, Solo 5 é o ponto central entre os extremos Água e Fogo. As tendências de alguém nascido em Solo 5 são mais estáveis, com posições claras e bem definidas, caráter firme, tornando-se freqüentemente a figura principal nas relações, encontros ou atividades profissionais. Não é raro encontrar alguém de Solo 5 rodeado por pessoas que se apóiam em suas idéias objetivas e em sua orientação clara, direta e imparcial. Com tantas qualidades, o perigo é Solo 5 ficar antipático, com o rei na barriga.

Não tem trigrama. Como se sabe, os trigramas originais são 8 e se movem em torno do centro; e o centro é o centro.

No mais, é igual a Solo 2 e 8.

horóscopo oriental para quem nasceu em anos terminados em 4, 13, 22, 31, 40, 49, 58, 67, 76, 85

6 Metal

O Metal, como o Solo, é um elemento estável; as pessoas de Metal são introvertidas, autodisciplinadas, fortes e se preocupam com o comportamento. Costumam ter também um senso de lógica apurado.

O Metal 6 é ligeiramente mais intelectual que o 7; pode ter certa dificuldade nas relações sociais por não se adaptar às situações ou pessoas.

Sua cor branca na verdade é prateada, brilhante.

No I Ching seu trigrama é ☰, Ch'ien, o criativo, céu. "Aplicado ao mundo dos homens ele representa a ação criativa dos santos e dos sábios, dos que governam e conduzem a humanidade e que, através de sua força, despertam e desenvolvem a natureza mais elevada dos seres humanos." Wilhelm, Pensamento.

Os órgãos mais ativos em Metal são os pulmões e o intestino grosso; Metal inibe Madeira, então podemos ter problemas no fígado e na vesícula biliar. Sintoma de sensibilidade em Metal: choro. Sintomas de desequilíbrio: possessividade, teimosia, depressão.

O arroz integral é sua comida mais adequada, bem como os vegetais redondos e o sabor picante. Deve evitar abuso de frutas, açúcar, líquidos, pastelaria de forno, gordura, comida animal, sal e temperos fortes.

A criança de Metal pode perder muito de sua firmeza se tiver um vida muito solitária e lhe faltar calor, simpatia, compreensão. Isso pode deixá-la deprimida ou melancólica e criar problemas de pulmão e intestino grosso.

7 Metal

horóscopo oriental para quem nasceu em anos terminados em 3, 12, 21, 30, 39, 48, 57, 66, 75, 84

As pessoas de Metal 7 são mais práticas que as de Metal 6, e na verdade geralmente são as mais hábeis no trato com o mundo material; têm um senso comum fortíssimo e facilidade para organizar as pessoas.

Seu trigrama no I Ching é ☱, Tui, alegria, lago. Significa a filha menor. "A alegria é um estado de ânimo contagiante, e, por isso, promove o sucesso. Mas ela deve ter como base a constância, para que não degenere numa euforia descontrolada." Wilhelm, edição Pensamento.

Nas outras indicações, Metal 7 é igual a 6.

8 Solo

horóscopo oriental para quem nasceu em anos terminados em 2, 11, 20, 29, 38, 47, 56, 65, 74, 83

É o mais denso dos três tipos de solo; seu branco é o da areia brilhante, do solo rochoso ou da porcelana. As pessoas de Solo 8 costumam ser mais sérias, silenciosas, de pensamento profundo, com características muito refinadas e inteligentes. Suas opiniões são firmes, e a autoconfiança é tanta que no extremo podem tornar-se isoladas e teimosas.

No I Ching, o trigrama é ☶, Ken, a quietude, montanha. Significa aqui a busca da serenidade do coração. "É muito difícil acalmar o coração. Enquanto o budismo aspira à quietude através de uma extinção de todo movimento no Nirvana, o Livro das Mutações (I Ching) sustenta que a quietude é somente um estado de polaridade que tem como constante complemento o movimento." Wilhelm, Pensamento.

E todas as outras recomendações são iguais a Solo 2 e 5.

9 Fogo

horóscopo oriental para quem nasceu em anos terminados em 1, 10, 19, 28, 37, 46, 55, 64, 73, 82

No ciclo das nove vibrações, este é o nível de energia mais alto e mais ativo. O fogo só existe pela ação, pela expansão. As pessoas de Fogo são expansivas, sociáveis, sabem lidar com o público, não medem esforços quando se trata de atingir um objetivo; parecem ter opiniões formadíssimas sobre qualquer assunto, embora na realidade possam ser só impressões superficiais, e tendem a agir pelo impulso, sem pensar muito.

No I Ching, o trigrama de Fogo é ☲, Li, aderir, fogo. "O fogo não tem uma forma definida, porém liga-se aos corpos que queimam, tornando-se luminoso. Significa a natureza em seu esplendor." Wilhelm, edição Pensamento, tradução primorosa de Alayde Mutzenbecher e Gustavo Alberto Corrêa Pinto.

Os órgãos mais ativos em Fogo são o coração e o intestino delgado, e ainda as funções dos meridianos Vaso-governador e Triplo-aquecedor.

Fogo inibe Metal, então os órgãos de Metal, que são os pulmões e o intestino grosso, tendem a enfraquecer.

É comum uma pessoa de Fogo ser tagarela e rir muito, até de nervoso.

Os alimentos que favorecem Fogo são o milho, as grandes folhas verdes e o sabor amargo.

O que Fogo não deve: abusar de comidas animais, de sal, de temperos, de líquidos e de frutas; de doces e de gelados; de coisas assadas.

A criança de Fogo precisa de orientação e disciplina, para que não se acostume a agir sem pensar; o desequilíbrio pode trazer problemas no pulmão e no intestino grosso e um comportamento hiperexcitado. Responsabilidade é a palavra mais importante a ensinar para essa criança, que com o tempo aprenderá a planejar a vida de modo a que toda a sua doçura e generosidade possam fluir sem problemas.

E agora, entra em cena um humilde personagem desta história: o cocô. Humilde porque geralmente sai sem muito alarde e logo desaparece, e quem diria que ele é o grande mensageiro do corpo? Mas é. Fala-me do teu cocô e te direi quem és.

duro?
mole?

Enquanto o bebê está no peito, o cocozinho dele vai ser amarelo ou alaranjado, com um cheirinho quase agradável, e bem pastoso. Se estiver escuro, duro e com cheiro forte o problema está na alimentação da mãe, que está comendo sal ou talvez assados demais; se estiver esverdeado, com um cheiro ácido, a mãe está comendo muita fruta.

desmame

Quando o bebê começa a comer outras coisas, é natural que o cocô fique um pouco mais consistente, um pouco mais escuro. Se você for introduzindo um alimento novo de cada vez poderá ir observando o resultado através do cocô. Amoleceu? Endureceu? Mudou de cor?

prisão de ventre
frutas
dieta
massagem
exercícios
compressas

A criança normal nunca vai ter prisão de ventre. Se tiver, cuidado: pode estar mostrando uma tendência que vai permanecer pela vida toda. Tradicionalmente, os pediatras recomendam suquinho de frutas ou banana amassada exatamente para estimular as funções do intestino. Experimente devagar, uma coisa de cada vez, pequenas quantidades, e observe. Cada criança é diferente da outra; o importante é você conhecer bem a sua para encontrar o ponto de equilíbrio. Se ela não evacuar um ou dois dias, tudo bem. A partir do terceiro já é grilante. Você modificou a comida dela pra ver se melhora? Fez massagem na barriguinha, partindo do umbigo pra baixo, contornando a barriga pela direita do bebê (e sua esquerda), acompanhando a direção do intestino grosso? Fez bicicletinha, exercitando as perninhas pra esticar e encolher? Sentou e pôs o bebê no seu colo de cócoras, de forma que os joelhinhos fiquem juntinho da barriga? Pôs uma compressa quente de sal marinho no ventre? Fez massagens em X do quadril aos ombros, com a sua mão direita começando no quadril esquerdo do bebê e terminando no ombro direito, e a esquerda fazendo o contrário, alternadamente, sempre de baixo para cima? Deu banchá com pedacinho de umeboshi carbonizada?

Nada adiantou???

Bem; as fezes retidas incomodam o bebê, dão gases, fazem ele ficar se espremendo. Em último caso, use um

supositório

supositório de glicerina. Mas só em último caso mesmo. E se a situação começar a se repetir é porque alguma coisa está muito errada na alimentação dele — ou na sua.

Algumas mães consideram que as ameixas pretas, cozidas com a papinha e reconhecidamente laxativas, são úteis nesses casos. Outras dão um pouquinho de suco de laranja-lima. Outras partem para o mamão. Realmente, funcionam; mas estão longe de ser o ideal. Primeiro porque atuam a nível de remédio, sendo uma solução artificial; segundo porque não se deve pensar em laxantes numa idade tão nova. Mas veja lá, você é que vai decidir.

Em caso de prisão de ventre com febre, sumo de maçã ácida ralada resolve.

sumo de maçã ácida

E há ainda outra sugestão, hilária mas eficaz na maioria dos casos: passe um óleo neutro no ânus do bebê e afague a área com uma peninha bem macia. Dizem que faz cócegas e o cocô sai.

cosquinhas

gelatina de algas

Se a constipação acontece com freqüência, sobremesa feita com gelatina de algas (ágar-ágar ou kanten) é ótima.

faixa na barriga

Ah: enrole a barriguinha do bebê com uma faixa larga de algodão para aquecer seus interiores. Serve tanto para intestino preso quanto solto, e também nos resfriados e gripes.

cura com as mãos

As mãos também têm um poder de cura muito grande. Basta você esfregar uma na outra e colocar a alguns centímetros da área afetada, fechando os olhos e concentrando bem, que vai sentir um calor se irradiando. É bom nessas horas você estar com a coluna ereta, para que a energia circule com mais intensidade. Se quiser tocar o corpo da criança nesse momento, use somente a mão direita sobre a parte em questão. Minha mãe baixava minha febre assim, com a mão direita na minha testa e toda concentrada numa prece.

Fáceis de preparar são as papinhas, que entram no segundo momento do desmame. O primeiro foi com leite de grãos, creme, chuchu, cenoura, sumo de salsa; agora entram os legumes adocicados que o bebê adora — abóbora, cebola, mandioquinha (batata-baroa), abobrinha, inhame, cará. Evite a batata-inglesa, que não tem quase nutrientes e pode ser tóxica se estiver brotada; o tomate, que é muito ácido e tem menos vitamina C do que se pensa (23 mg em 100 gramas); o pimentão, a beterraba, e a berinjela, que também são muito ácidos. Dos outros, vá combinando sempre uma raiz com um legume, ambos bem cozidos, sem sal, e passados na peneira ou cortados em cubinhos para que o bebê possa pegar com as mãos e sentir o sabor. Aí já pode entrar também um creme de grãos mais espesso, substituindo de vez em quando o feijão azuki (ou outro que seja vermelho e pequenino) por lentilhas ou grão-de-bico (evite o feijão preto, que dá muitos gases). Como sempre, complete com o sumo de salsa fresca ou com salsa aferventada por 2 minutos e bem picadinha, que a celulose dela ajuda o movimento intestinal.

sal, não!
peineira
cubinhos
salsinha

Nunca use feijão de soja ao natural, que é forte demais até para adultos.

Os legumes só começam a receber uns grãozinhos de sal marinho natural depois que o bebê já está de pé. E há como alternativa o shoyu, molho de soja salgado, mas só se for de procedência conhecida; as marcas comerciais costumam levar açúcar e glutamato de sódio na composição. Fuja correndo do Aji-no-moto, que está sendo anunciado como sal vegetal! Não passa de glutamato. Quem costuma utilizar algas marinhas já tem aí uma boa forma de introduzir o sal, é só cozinhar um pedaço pequeno com os legumes.

glutamato
algas

E quem acha que o bebê precisa de proteína animal, ou que até não acha mas fica recebendo pressão das mães e avós que sempre puseram carne na sopinha dos filhos, pode cozinhar junto com os legumes um tiquinho de peixe de carne branca (pescadinha, linguado), aproveitando

peixe

somente o caldo. Com atenção: se o bebê já for muito yang, vai ficar mais yang ainda.

sem mamadeira!

Dê na colher ou no copo, não na mamadeira! Se você quer que seu bebê cresça, mostre isso a ele. Ele vai adorar.

Geralmente, quem tem criança nova fica pensando muito em vitaminas. Vitamina é uma daquelas palavrinhas mágicas que ninguém ousa questionar. Só em 1981 a indústria americana vendeu 621 milhões de dólares entre vitaminas sintéticas e naturais, isso numa terra onde os complementos vitamínicos são considerados tão indispensáveis quanto a farofa aqui na nossa feijoada. A divulgação desse altíssimo nível de consumo atraiu muitas críticas. A principal delas aponta um dedo acusador contra os produtos refinados, como farinha de trigo, arroz e açúcar brancos, em cujo processo de "beneficiamento" se perdem as vitaminas principais, sendo o freguês assim obrigado a obtê-las alhures.

Acontece que o equilíbrio das vitaminas no organismo é muito delicado; como elas não agem sozinhas — servem justamente para ajudar a transformar a comida em energia — uma dose inadequada de vitaminas isoladas pode afetar muito a saúde.

Por isso é que o meio mais seguro de esquecer a questão das vitaminas e ganhar espaço no armarinho do banheiro é manter uma alimentação equilibrada, com o máximo possível de alimentos integrais e legumes frescos — que, afinal, foram criados assim por um gênio que até agora ninguém conseguiu superar.

Dê uma olhada nas tabelas. Em caso de necessidade, vai ser mais divertido gastar dinheiro na feira do que na farmácia.

vitamina A

Atua na formação da pele e das membranas mucosas do interior da boca, do nariz e dos intestinos, aumentando assim a resistência a infecções; é importantíssima para o tecido ótico, assegurando entre outras coisas a boa adaptação dos olhos à claridade.

Sintomas de carência: alergias, falta de apetite, manchas na pele, cabelo seco, fadiga, coceira ou ardor nos olhos, perda do olfato, cegueira noturna (fotofobia), ressecamento da pele, sinusites, esmalte dos dentes fraco, vulnerabilidade a infecções.

Dose diária recomendada: 1.8 miligramas

Produto	mg
Ameixa preta (1 xíc.)	2.0
Arroz integral (1 xíc. cozido)	2.0
Ervilhas (1 xíc.)	2.0
Amêndoas (1 xíc.)	1.0
Alga kombu (1 xíc. seca)	0.8
Farinha de trigo integral (1 xíc.)	0.7
Brócolis (1 xíc.)	1.5
Couve-de-bruxelas (1 xíc.)	2.0
Leite (1 copo)	0.4
Requeijão (100 g)	0.4

vitamina B1 (tiamina)

A B1 promove crescimento, fertilidade, lactação, digestão, funcionamento do tecido nervoso e metabolismo dos carboidratos; normaliza o apetite e o sistema nervoso.

Sintomas de carência: beribéri, disfunções do sistema nervoso, perda de apetite, inchaço (edema), problemas cardíacos, náuseas e vômitos, espasmos musculares, distúrbios digestivos, fadiga, irritabilidade, nervosismo, dormência nos pés e nas mãos, sensibilidade a ruídos, dores na região do coração, fôlego curto, moral baixa, confusão mental.

Dose diária recomendada: 1.1 miligramas

Produto	mg
Sementes de girassol (1 xíc.)	2.0
Castanha-do-pará (100 g)	1.0
Sementes de gergelim (100 g)	1.0
Amendoins (100 g)	1.0
Arroz integral cozido (1 xíc.)	0.2
Feijões cozidos (1 xíc.)	0.2
Leite (1 copo)	0.1

vitamina B2 (riboflavina)

Ela ajuda a obter energia dos carboidratos e das proteínas, facilita a formação de anticorpos e de células vermelhas e atua no metabolismo.

Sintomas de carência: cataratas, rachaduras e feridas nos lábios e cantos da boca, tontura, coceira e ardor nos olhos, digestão difícil, crescimento lento, língua irritada e vermelha.

Dose diária recomendada: 5000 unidades internacionais

Produto	UI
Acelga ou couve chinesa (1 xíc.)	7830
Mostarda (1 xíc.)	8120
Alga Nori (1 folha)	1618
Melão (1 médio)	18020
Brócolis cozido (100 g)	1938
Cenoura crua (100 g)	6050
Repolho (100 g)	4070
Abóbora japonesa (100 g)	4305
Agrião	1628
1 ovo	260
1 bola de sorvete	349
1 copo de leite	500

niacina

Ela é que mantém os tecidos celulares saudáveis, e também atua sobre os nervos e a digestão.

Sintomas de carência: pelagra, feridas na boca, diarréia, desordem mental, perda de apetite, gangrena, depressão, fadiga, mau hálito, dor de cabeça, fraqueza muscular, náusea, erupções na pele, lesões gastrintestinais, anorexia, fraqueza, irritabilidade, vertigens.

Dose diária recomendada: 15 miligramas

Produto (100 g)	mg
Trigo-sarraceno	4.4
Arroz integral	4.7
Feijão azuki	2.5
Lentilhas	2.0
Grão-de-bico	2.0
Ervilha seca	3.0
Amendoim	17.2
Frango	6.7
Truta	8.4
Leite	0.1
Ricota	0.1

vitamina B12

Agosto de 1988, terceira edição. Boas notícias! A dose diária recomendada de vitamina B12 caiu para 1 mcg (bebezinhos), 2 mcg (crianças), 3 mcg (adultos) e 4 mcg (grávidas e mães amamãentando). Más notícias: as algas nem sempre contêm B12; o tempê, o misso e o shoyu, nunca; e recentemente, nos Estados Unidos, várias crianças vegetarianas e macrobióticas tiveram sérios problemas por carência de vitamina B12. Olho vivo: doses homeopáticas de peixe, ovo e queijo podem evitar isso.

Ajuda na formação do sangue e na manutenção do tecido nervoso; facilita o apetite, a formação e a longevidade das células e seu funcionamento, principalmente na medula óssea, no sistema nervoso e nos intestinos, e protege da anemia. Ela é produzida por certas bactérias, sempre através de processos fermentativos.

Sintomas de carência: fraqueza, nervosismo, anemia perniciosa, dificuldades para andar e falar, desordens neurológicas, palidez.

Dose diária recomendada: 7 microgramas

Produto	mcg
Fígado (100 g)	80.0
1 ovo	2.0
Atum em lata	2.2
Queijo suíço (100 g)	1.8
Alga wakame (15 g)	2.3
Alga kombu (15 g)	4.1
Alga Spirulina (15 g)	16.5
Tempê (derivado da soja) (100 g)	3.9

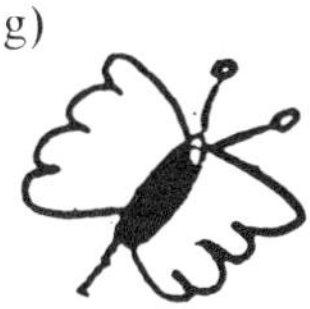

vitamina C (ácido ascórbico)

Ela fortalece as paredes dos vasos sangüíneos, produz o material que mantém juntas as células do corpo, ajuda a curar feridas e ossos quebrados, atua na formação de dentes e ossos; aumenta a resistência a infecções, ajuda a utilizar o ferro orgânico, dá resistência a gripes, previne hemorragias. É produzida pelas plantas assim que elas começam a crescer. As fontes mais ricas são os vegetais de folhas verdes e algumas variedades de frutas.

Sintomas de carência: contusões freqüentes, gengivas sangrando, anemia, cáries, baixa resistência a infecções e gripes, nariz sangrando, digestão insuficiente, perda de peso e irritabilidade.

Dose diária recomendada: 70 miligramas

Produto (100 g)	mg
Pimentão verde	120.0
Repolho	134.1
Brócolis	135.0
Mostarda	87.2
Morangos	90.0
Alga hiziki (1 xíc. seca)	550.0
Suco de laranja (1 copo)	56.0
1 laranja	25.0
1 melão médio	174.0
Salsa	172.0
Agrião	79.0

vitamina D (calciferol)

Ela é fabricada em nós mesmos, na ação dos raios solares sobre certas substâncias oleosas da pele que estão relacionadas com o colesterol. Sua função principal é absorver o cálcio do trato intestinal ou dos próprios ossos. É vital na manutenção do nível de cálcio no sangue e importante na formação dos ossos e dos dentes.

Além do sol, encontra-se também nos óleos de peixe, especialmente nos óleos de fígado dos peixes.

Sintomas de carência: sensação de queimadura na boca e na garganta, diarréia, insônia, miopia, nervosismo, metabolismo deficiente, ossos fracos, raquitismo nas crianças.

Dose diária recomendada: 400 unidades individuais.

vitamina E

Afeta diretamente os vasos sangüíneos, coração, pulmão, nervos, a glândula pituitária e a pele. Funciona como antioxidante, protegendo as vitaminas A e C e as membranas das células. Reduz o colesterol, fortalece as paredes dos capilares, reforça a fertilidade e a potência masculina, protege os pulmões da poluição e mantém os músculos e nervos saudáveis.

Sintomas de carência: cabelos secos, quebradiços ou caindo; aumento da próstata, problemas gastrintestinais e cardíacos, impotência, esterilidade, perdas musculares.

Dose diária recomendada: 10 miligramas

Produto (100 g)	mg
Vegetais de folhas verdes	133.0
Cereais integrais	1.0
1 ovo	1.6
Manteiga	2.0
Fígado	0.2
Óleo de girassol (1 colher)	48.7
Couve chinesa (folhas internas)	0.2
Couve chinesa (folhas externas)	7.0
Brócolis	1.3
Lentilhas	1.2
Agrião	1.0
Abacate	3.2

h

Hoje em dia há muita conversa sobre a proteína, e algumas pessoas levam o assunto aos limites da obsessão. De um lado faz sentido, porque a proteína é a matéria-prima do que chamamos de carne-e-osso; de outro não faz, porque uma alimentação equilibrada, mesmo que só à base de vegetais, fornece proteína suficiente para um crescimento forte e sadio.

aminoácidos

Proteína é o resultado da união de 23 unidades chamadas aminoácidos. A maioria pode ser convertida ou sintetizada pelo corpo; mas existem oito deles que precisam ser absorvidos da comida, os oito ao mesmo tempo e na proporção certa. São os chamados "aminoácidos essenciais": triptofano, leucina, isoleucina, lisina, valina e treonina, mais os chamados sulfurosos e os aromáticos.

Muito bem. Vamos supor que você dê montes de proteína ao seu bebê, que os oito aminoácidos estejam presentes na proporção certa, tudo como manda o figurino. Mas não pense que ele vai assimilar tudo, porque boa parte simplesmente não é absorvida no trato digestivo. Por isso é que se usa a expressão "proteína líquida utilizável", ou seja, proteína de alto valor biológico, para avaliar corretamente a quantidade que o corpo aproveita.

proteína líquida utilizável

Senão, vejamos:

tabela de conteúdo protéico x proteína utilizável

alimento	proteína	utilizável
soja e derivados	35 a 40%	60%
queijo parmesão	35%	70%
nozes e queijos	30%	70%
carne, aves	35%	68%
peixe	20 a 25%	80%
gergelim	20%	50%
cereais	10 a 15%	60 a 70%
leite de vaca	5%	82%
ovos	13%	90%

Segundo as fontes especializadas, nós humanos precisamos de 0.50 gramas de proteína, por dia, para cada quilo de peso corporal. Ora. Se aproveitamos em média apenas 70% das proteínas, fazendo as contas e dando o desconto, esta necessidade diária passa para 0.70 gramas por dia para cada quilo de peso.

Frances Moore Lappé

Essas informações vêm de um livro chamado Diet for a Small Planet — Dieta para um Pequeno Planeta, de Frances Moore Lappé, uma moça que se dedica a provar que a fome mundial é um mito. Ela pesquisou e ainda pesquisa tudo o que se refere a proteínas. Depois de encher várias salas com estatísticas e tabelas, e de passar dez anos vendo seu livro ser lido por milhões de pessoas, Frances chegou a uma conclusão fantástica: você não precisa se preocupar nem um pouco com a quantidade de proteínas que está ingerindo, desde que sua alimentação seja rica e equilibrada. Equilibrada como? Basicamente assim: cereais integrais, como o arroz, sempre combinados com leguminosas, ou seja, feijões, lentilha, grão-de-bico, soja e seus derivados; e mais legumes, raízes, verduras.

proteínas complementares

A explicação para esse conceito vem de um fenômeno que Frances e outros pesquisadores há javiam descoberto há tempos e que é a complementaridade das proteínas vegetais. Assim o arroz integral tem certos aminoácidos essenciais, os feijões têm outros. Comendo os dois separados não acontece nada, mas comendo juntos a quantidade de proteína assimilável aumenta até 50%. "É um caso em que o todo é muito maior do que a soma das partes", comenta ela.

Outra coisa que ela coloca e comprova: em média, uma alimentação à base de vegetais provê, além das proteínas, mais do dobro de vitaminas e minerais do que uma alimentação à base de carne e peixe.

Isso tem sido constatado na prática por milhares de pessoas que resolveram tirar os produtos animais da alimentação diária, inclusive crianças — que, por estarem em fase de crescimento, precisam mais de proteína. Uma nutricionista americana, Pamela Jackson, pesquisou a alimentação dos vegetarianos puros, que não consomem nem queijo nem ovos, e viu que eles ingerem no mínimo 83 gramas diários de proteínas, praticamente o dobro do que a Academia Nacional de Ciência dos Estados Unidos recomenda. E os vegetarianos que comem queijo aumentam esse aporte diário para 98 gramas.

Agora, por que eliminar assim as proteínas animais, se na verdade elas já têm todos os aminoácidos e são completas?

proteínas animais

Vamos por partes. Em primeiro lugar, é uma questão de higiene interna. Quando se mata um ser vivo, imediatamente as bactérias presentes começam a decompor a matéria e o que era uma energia de vida se transforma em seu oposto: apodrecimento. Tire um tasco do boi, ou abra um ovo, ou pesque um peixe e deixe fora do gelo, e espere um tempinho para ver como o cheiro fica logo desagradável. Pois bem. Se você come essas coisas, as malcheirosas substâncias tóxicas vão ter que percorrer todo o organismo até serem eliminadas. Todas? Nem sempre — no caso da carne, por exemplo, suas fibras podem ficar retidas nas voltinhas do intestino e dali passarem mais e mais toxinas para o sangue, tornando-o ácido e prejudicando o corpo inteiro.

matéria morta

Em segundo lugar vem a questão econômica. Na terra que fornece pasto para uma só vaca durante um ano daria para plantar grãos e vegetais que sustentariam 60 famílias também durante um ano. Os vegetais são o leite da grande mãe generosa, basta deixar cair uma sementinha de feijão que logo nasce um pé que cresce até as nuvens, não é? Um grão se transforma em dez mil grãos. Uma boa política agrícola, baseada em necessidades humanas em vez de lucros, daria de comer a todos os povos de todos os países.

pasto x feijão

Em terceiro lugar vem o fato de que na cidade todos os produtos animais, com exceção do peixe fresco, já chegam cheios de gelo, corantes, conservantes, antibióticos e hormônios. A ração que engorda o gado e as galinhas é preparada de forma a acelerar quimicamente seu rendimento econômico. Pouco importa a saúde do frango, interessa é que ele esteja gordo; por isso é que 90% das aves de granja têm uma forma de leucemia, o câncer do sangue. E os ovos dessas galinhas na verdade não podem ser chamados de ovos, são apenas óvulos não fecundados que não têm nem de longe o valor de um ovo galado, caipira, de galinha que namorou o galo.

consciência

Em quarto, quinto, sexto e todos os demais lugares vem a questão da consciência. Se podemos comer melhor e mais barato através de uma alimentação basicamente vegetariana, abrindo exceções aqui e ali para satisfazer desejos da gente e dos outros, por que não experimentar? Muita gente acha que os produtos naturais são mais caros, que a despesa vai aumentar, mas na prática é o contrário. Um quilo de arroz integral custa pouco mais do que um quilo de arroz branco, e nutre muito mais. Uma compra de supermercado que se limite a feijões e produtos de higiene vai ser incomparavelmente mais barata do que se incluir queijos, potinhos, enlatados, carnes, petiscos. E ainda se economiza médico e remédios.

economia

energia fresquinha

Tem mais: a nível de energia, nada como uma comida fresca, escolhida a dedo na feira, que quando você prepara parece até vibrar nas suas mãos. Só isso já beneficia. Na barriga, então, nem se fala. O corpo agradece e o resto se cala.

Imagine que está vendo as cinzas de uma planta ou de um animal. O nitrogênio, o enxofre, o hidrogênio e o carbono que formavam as proteínas, gorduras e carboidratos da matéria viraram gases, e só ficaram os minerais.

minerais
rochas

São eles que estão na terra formando as rochas. Ao longo dos séculos as rochas vão se fragmentando e enriquecendo o solo. Os micróbios do solo carregam particulazinhas de minerais para as plantas. Comendo as plantas, absorvemos os minerais. Esses minerais, juntando-se ao quarteto nitrogênio-enxofre-hidrogênio-carbono, formam grandes moléculas de proteína chamadas enzimas. E as enzimas são as responsáveis pela maior parte dos processos internos de transformação.

enzimas

Sódio, potássio, cálcio, fósforo e magnésio são os minerais mais presentes no corpo. Mas outros, mesmo em quantidades mínimas ou apenas traços, influem decisivamente sobre todo o nosso metabolismo: zinco, iodo, manganês, cromo, chumbo, cádmio, ferro, flúor, cobre, arsênio e outros menos votados.

sódio
potássio

O equilíbrio entre sódio e potássio no organismo é muito importante. Sódio demais contrai, é o sal. Tanto que se põe sal na carne para secá-la, nas verduras para desidratar. Potássio demais expande, é o caso de certas frutas e legumes. Um excesso de sódio dá hipertensão, um excesso de potássio dá pressão baixa, moleza. O sódio é yang, o potássio é yin.

Nosso esqueleto depende do cálcio assim como as estruturas mais duras da crosta terrestre, que são formações calcárias. E todos os outros minerais importantes na composição do solo são importantes também para nós, tanto que o líquido que envolve o bebê na barriga da mãe é um composto de sais minerais igualzinho à água do mar.

algas
marinhas

As algas marinhas são o suplemento mineral mais rico que existe, praticamente uma concentração dos minerais do mar. O sal marinho natural e certas coisas feitas com ele, como o misso (massa de soja fermentada), o shoyu (molho de soja) e o tofu (queijo de soja) também fornecem bastante minerais. As frutas e seus sucos são uma forma rápida de obtê-los, mas não a melhor, pois quando se cozinha as frutas e os vegetais da maneira certa há uma concentração dos minerais e o aproveitamento é maior.

frutas secas

Nas frutas secas — ameixas, passas, maçãs, bananas, damascos, caquis, tâmaras, figos, etc. — também ocorre uma grande concentração de minerais.

j

Já estão saindo os dentes? Ou por enquanto são só as gengivas pontudas? De qualquer forma, coça. É hora de dar uma cenoura crua para o bebê segurar. Repare como ele vai pôr na boca, esfregar nas gengivas ou dentinhos e adorar. Cenoura é muito doce, não é?

Nessa hora ele precisa de todo o cálcio que o corpo puder arranjar. Olho vivo, então, com relação a alimentos ácidos. O corpo procura automaticamente equilibrar os ácidos com os alcalinos, então se entra uma coisa muito ácida na corrente imediatamente são chamados os minerais para alcalinizar. Deles, principalmente o cálcio de reserva nos ossos e nos dentes.

cálcio

ácidos

É por isso que o leite de soja não serve: é extremamente ácido, acaba produzindo dentes fracos e escuros e amolecendo os ossos. A digestão, difícil, provoca gases. Soja, só fermentada: já se sabe há milhares de anos.

leite de soja

— Ué — pergunta a vozinha perplexa — mas a soja não tem cálcio?

Tem, e muito. E proteínas também, muito. É uma questão de saber aproveitar, por exemplo talhando o leite fresco da soja e fazendo tofu. O soro que sai leva a acidez embora. No queijo, para cada 100 gramas, ficam então 128 mg de cálcio e 7.8 mg de proteína. Que tal?

— Ah, mas essa história de soja é uma importação de padrões culturais que não têm nada a ver com o Brasil!

Não tinham, agora têm. O Brasil é o maior produtor mundial de soja. Vai ficar só usando o óleo, que é extraído à base de solventes cáusticos? Ou vai querer aproveitar realmente o que tem?

K

K é o nome de uma vitamina das folhas verdes que é ótima contra enjôos da gravidez. Mais um ponto a favor das folhas verdes! Viva a salsa! Viva a couve, viva a bertalha, viva o agrião!

Nos primeiros três meses de gravidez a mulher se sente muito diferente do habitual. Não é pra menos: na parte mais central do seu ser, ali onde sempre existe a maior concentração de energia, está se desenvolvendo um novo ser.

desejos da gravidez

Isso quer dizer que ela está muito mais ativa, muito mais yang, e de repente isso provoca desejos de comida bem yin: doces, frutas ácidas, líquidos. E em contrapartida pode querer comer também mais carne, peixe, ovos. A idéia é não reprimir esses desejos, mas comer pequenas quantidades e procurar não cair em desequilíbrio. O peixe branco e o peito das aves caipiras são menos prejudiciais que a carne vermelha, as frutas não-ácidas como a maçã, os morangos, a melancia são melhores que as ácidas. Depois desses três meses iniciais os desejos em geral desaparecem.

comunicação com o feto

Desde o primeiro dia o embrião sente o que se passa com a mãe. Por isso, importante mesmo é ter uma atitude de proteção e carinho com relação à nova pessoinha que está se formando, até mesmo conversando com ela dentro do útero. Isso significa não só pensamentos positivos e calmos como também um empenho maior em obter um sono tranqüilo, uma atividade física regular e todo o equilíbrio interior possível. Nesse ponto a alimentação natural também ajuda, já que carrega menos toxinas e permite ao organismo um funcionamento mais harmonioso ao mesmo tempo em que nutre o bebê com elementos puros e ricos.

Lá está, bem na sua frente, o cartaz da campanha de vacinação. Aí você fica na maior dúvida: vacina ou não?

anticorpos

É uma decisão difícil, envolve riscos. Se não vacina, a criança pode ficar doente; se vacina, também pode. A vacina é a introdução artificial de uma doença no organismo visando criar anticorpos para aquela mesma doença. Por isso é comum haver uma queda na resistência geral da criança durante anos após as vacinações, e às vezes uma doença crônica tem sua origem na primeira dose de vacina.

vírus & bactérias

Tétano, difteria, coqueluche ou tosse comprida, meningite, poliomielite, sarampo, caxumba, varíola e rubéola são as ditas "doenças infecciosas" contra as quais se vacina. A explicação é que seriam causadas por micróbios, ou seja, bactérias ou vírus externos que "invadem" o corpo. Como se os vírus e as bactérias fossem os nossos inimigos naturais.

Ora. Vírus e bactérias são a mais primitiva forma de vida que existe, acompanham a gente desde que a gente saiu do mar. São parte da nossa origem. Como podem ser inimigos? Claro que ocorrem grandes proliferações de vírus e bactérias durante os processos de fermentação da matéria, causados por irritação, contusão ou morte; mas são a conseqüência, não a causa.

Pasteur

a causa das doenças

Louis Pasteur foi o grande responsável pelo desenvolvimento das vacinas. E se levou glórias, levou também altas espinafrações. Uma delas de R.B. Pearson em Pasteur: Plagiário, Impostor, que diz o seguinte: "As bactérias encontradas nos homens e animais não causam doenças — elas têm funções idênticas às bactérias encontradas no solo, no esterco ou em qualquer produto da natureza: estão ali para reconstruir tecidos mortos ou lesionados, ou para reformar as excreções corporais, e é bem sabido que não conseguem atacar os tecidos sadios."

Outro contestador é Alec Burton, da Tufts University, que disse em conferência recente: "Ninguém vai negar a existência de germes em outros microorganismos, ou que eles estejam intimamente associados com certas doen-

ças. Podem ser fator secundário ou terciário, mas jamais a causa fundamental das doenças. Podem estar intimamente associados com elas, e serem até necessários para seu agravamento, mas a má condição de saúde do hospedeiro é o principal fator. As bactérias são tão importantes para a vida que não poderíamos sobreviver sem elas, e elas assumem certas características dependendo do lugar onde estejam. Os germes não causam as doenças — as doenças é que criam um ambiente favorável à proliferação dos germes."

história das doenças

Um artigo sobre doenças infecciosas nas sociedades primitivas, publicado pela Revista Science em fevereiro de 75, levanta dados interessantes: muitas das doenças modernas não atingem as sociedades primitivas ainda incontaminadas pela civilização tecnológica. E muitos tipos de doenças infecciosas apareceram recentemente. A varíola no século 2, o sarampo no século 7, o cólera no século 16, e a primeira epidemia de pólio (paralisia infantil) foi registrada em 1887. Os estudiosos associam isso à mudança dos padrões alimentares trazida através da introdução de frutas cítricas na Europa depois das Cruzadas e do crescente

açúcar importado

consumo de açúcar após a descoberta das Índias Ocidentais, o que alterou o equilíbrio que havia até então. Trocando em miúdos, a sociedade moderna e sua voracidade inconseqüente seriam a causa principal das doenças modernas.

Mas o que é mesmo doença?

o que é doença

"Doença é o resultado do desequilíbrio entre o ambiente interno da pessoa e o mundo externo, com sintomas variando desde infelicidade, depressão ou medo até febres, dores e disfunções dos órgãos. Geralmente as doen-

eliminação

ças se dividem em duas categorias: as de eliminação, quando o corpo automaticamente se livra dos excessos (como nas gripes, febres, erupções da pele, diarréias e acessos de raiva), e as degenerativas, ou crônicas, quando o corpo está tão enfraquecido por um longo período de abuso que não

degeneração

consegue mais eliminar os excessos e começa a degenerar (como nas artrites, diabetes, doenças cardíacas, colites, câncer, esquizofrenias).

Essas duas categorias também se aplicam às doenças infantis. É possível evitá-las se compreendermos suas causas, mantendo um equilíbrio saudável entre a criança e seu ambiente." (Leonard Jacobs, no EastWest Journal).

Leonard Jacobs

"Uma das formas que o corpo tem de se imunizar é através de uma grande variedade de anticorpos produzidos pelo timo, uma glândula do sistema endócrino-hormonal", segue Jacobs. "Por isso é importante expor a criança a estímulos bem variados e a possíveis germes, de forma a ativar a produção desses anticorpos. Os sintomas temporários das 'doenças infantis' podem ser vistos como resultado natural da produção de anticorpos pelo timo."

timo

Ele diz ainda que, por estarem crescendo, as crianças descarregam muito rapidamente qualquer excesso que tenham consumido: "Esse processo natural de descarga produz sintomas como febre, tosse, suor, erupções, etc. Na verdade, esses sintomas são normalmente relacionados com o sistema linfático, que é a via por onde o timo faz circular os anticorpos. Infelizmente, quando as crianças operam as amígdalas (que são parte do sistema de filtros da linfa), o equilíbrio natural se rompe; começa então a saga de alergias, doenças infecciosas e problemas de saúde em geral. Existem ligações bem documentadas entre a operação de amígdalas e a incidência de poliomielite."

descargas infantis: tosse, febre, suor, erupções, resfriados

sistema linfático

amígdalas: filtro da linfa

operação

Em resumo: vacinar ou não é uma questão de opção e informação. Se você tem certeza de que a sua criança é saudável e prefere não interferir, lindo! Mas tem que ter certeza. Mesmo porque hoje em dia, em tempos tão modernos, às vezes a gente faz mais os que os outros querem do que aquilo que nós mesmos achamos mais certo. Conheço crianças lindas e fortes, filhas de jovens macrobióticos, que nunca foram vacinadas contra nada e tiveram formas muito brandas de eliminação — e nessa eliminação se incluem excessos até mesmo embrionários, da gestação. Para estes pais a melhor forma de imunizar seus filhos foi e é a alimentação adequada, sem leite de vaca ou outros produtos animais que pudessem introduzir no

macrobióticos

corpo a possibilidade de infecção. E conheço outras crianças lindas e fortes que foram vacinadas contra tudo e até agora não revelaram problemas.

A escolha é sua. Boa sorte!

catapora

É muito comum e ocorre geralmente no inverno ou no começo da primavera, quando tudo brota. Os sintomas começam com uma febre média, e manchinhas vermelhas aparecem no final do primeiro dia ou no segundo. No centro das manchinha surgem bolhas, que continuam surgindo a cada dia pelo corpo inteiro. Podem provocar coceiras; se forem coçadas, podem deixar marcas. É uma doença yin, normalmente provocada por excesso de frutas cítricas e sucos ingeridos nos meses mais frios do ano.

Tratamento: alimentação leve, chá de dente-de-leão. Nas coceiras, água boricada e vaselina bem misturadas em partes iguais.

difteria

Já foi mais comum do que é hoje. Suas características são febre e dor de garganta, com o possível desenvolvimento de uma membrana cobrindo a garganta que pode ficar ali uma semana e atrapalhar a respiração. As complicações resultantes disso são sérias, incluem falha cardíaca e paralisia temporária dos membros e dos músculos respiratórios. Também é um doença yin, resultante de um alto consumo de laticínios gordurosos, frutas e açúcar.

Tratamento: leite de grãos, chá de rais-de-lótus.

rubéola

Também é doença infantil comum. Febre, nódulos linfáticos inchados atrás das orelhas e/ou na parte traseira da cabeça, manchinhas vermelhas na pele.

Só mulheres grávidas, até o 3º mês, correm risco se contraírem rubéola: em 20% dos casos os bebês nascem defeituosos. Como a catapora e a difteria, é considerada uma doença yin, causada por excesso de vegetais crus fora da estação e frutas de regiões distantes.

Tratamento: alimentação leve, banchá.

caxumba

Febre, dor de cabeça e fadiga são os primeiros sintomas. Em dois dias uma ou ambas as glândulas salivares que ficam logo abaixo das orelhas começam a inchar. Engolir pode ser difícil, mas em cinco ou seis dias termina.

A caxumba é uma doença yin, provocada por excesso de gorduras animais e especialmente laticínios.

Tratamento: alimentação leve, chá de raiz-de-lótus.

sarampo

Começa como um resfriado. No segundo dia surge uma tosse forte e seca, os olhos se mostram irritados e a febre sobe. As erupções aparecem no terceiro ou quarto dia, começando atrás das orelhas ou pertinho da raiz dos cabelos, e cobrem o corpo inteiro em 36 horas. As manchinhas vermelhas podem inchar e coçar. O clímax da eliminação ocorre em torno do sexto dia, e lá pelo nono ou décimo já foi tudo embora.

É uma doença yang, que geralmente só dá uma vez. A medicina natural a vê como uma descarga do excesso de yang acumulado na gestação. Por isso é importante, faz parte do processo de crescimento e amadurecimento das faculdades físicas e mentais da criança.

A criança com sarampo deve ficar quietinha num quarto bem escurinho, com cortinas nas janelas e tudo, para favorecer o surgimento de mais pintinhas eliminadoras. Não deve se agitar. É ótimo colocar no quarto um vaporizador para obter um clima úmido.

Tratamento: comidas suaves como creme de arroz, legumes e verduras cozidos levemente no vapor, banchá.

meningite

É uma infecção nas meninges, membranas do sistema nervoso, e pode vir em conseqüência de um sarampo mal curado que incubou. Traz junto uma febre muito alta que pode danificar o cérebro e/ou matar.

Então, suponhamos que a criança tenha tido esse sarampo arrependido, e tempos depois apareça com uma febre alta. Você desconfia de meningite. Com certeza a criança andou comendo muitos doces, laticínios, bebendo sucos e refrigerantes, ou mesmo muitas frutas e mel, ou a mãe bebia álcool enquanto amamentava e se excedia nos doces, coisas assim. Aí se faz o seguinte: em primeiro lugar, um emplastro frio de tofu envolvendo de preferência a cabeça inteira, para baixar um pouco a febre. Se não tiver tofu, use a clorofila das folhas verde-escuras, tipo couve, bem picadinhas e amassadas, misturadas com farinha branca para dar liga, ou mesmo rodelas de batata-inglesa, e vá trocando assim que esquentarem. Em segundo lugar, uma compressa quente de gengibre na espinha dorsal para ativar a circulação e impedir que a infecção se instale ali. Em terceiro lugar, misture mostarda amarela em pó com água (é a mesma que se usa nas salsichas, só que sem condimentos), faça um emplastro e substitua com ele o emplastro de tofu, cobrindo o topo da cabeça e também a parte de trás, de orelha a orelha; é aí que a infecção costuma se localizar e danificar as meninges. Depois de 20 minutos retire esse emplastro. Pronto. Isso já impede que o cérebro seja atingido.

Se a criança quiser comer, dê chá de araruta com um pouquinho de shoyu ou um pedacinho de ameixa umeboshi carbonizada.

coqueluche

A coqueluche, ou tosse comprida, geralmente começa com sintomas de resfriado seguidos por três a seis semanas de tosse forte. É uma manobra do organismo para se livrar do excesso de muco, doença yin causada por abuso de leite e queijos salgados.

Trate com chá de raiz-de-lótus com gotinhas de gengibre, corte as farinhas, as frutas e os legumes crus. E o leite, claro.

tétano

Um corte ou machucado que não sangra pode dar em tétano. Nos Estados Unidos, o risco de ocorrer tétano é na base de 1 em 600.000 casos, e a grande maioria em pessoas idosas.

Os músculos do pescoço e das mandíbulas começam a enrijecer, e em dois dias esse mesmo processo atinge o torso e os membros, endurecendo o corpo todo.

É uma doença yin, que pode ser evitada fortalecendo-se a constituição da criança e cuidando para que qualquer ferimento profundo sangre o suficiente.

Se não sangrar, use uma das seguintes coisas: um pouquinho de misso no local, ou o sumo da ameixa umeboshi; um dente de alho cortado ao meio, ou uma rodela de gengibre; lave com artemísia, esfregue pelo corpo uma toalha embebida em chá de gengibre para ativar a circulação; sal e folhas verdes socadinhas para fechar a ferida.

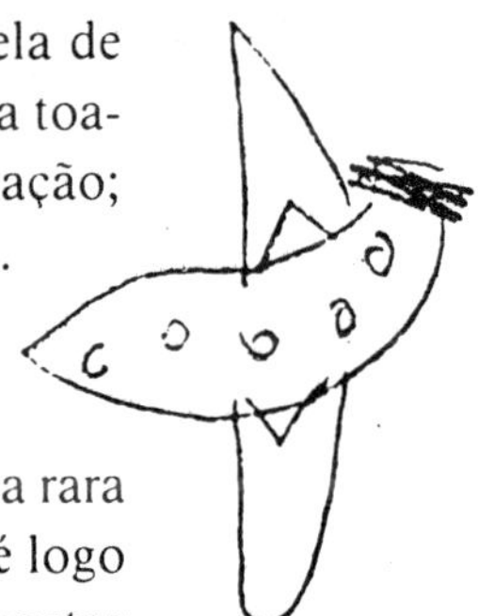

poliomielite

Conhecida como paralisia infantil. É uma doença rara hoje em dia, que começa como resfriado ou gripe e é logo seguida por dores musculares e enrijecimento das costas e do pescoço. Em seguida pode ocorrer paralisia nos braços e/ou nas pernas. Alguns fatores predispõem à poliomielite: imunização, extração de amígdalas ou de dentes.

É uma doença yin, causada por excesso de produtos refinados, frutas cítricas e açúcar, e surge com mais freqüência no verão e em regiões quentes, onde se consomem muitos sorvetes e refrigerantes.

O tratamento natural para poliomielite exige acompanhamento profissional em dieta, acupuntura e massagens.

febres

Pra começar, não esquente a cabeça. Febre é bênção. É a resposta do nosso sistema de defesa contra um determinado desequilíbrio interno. Ocorre de duas formas. Numa, quando o corpo fica ácido ou alcalino demais, a tireóide reage aumentando a taxa de metabolismo e subindo assim a temperatura. Noutra, quando uma infecção é detectada pelo plantão imunológico, as células brancas se ouriçam todas e ativam um hormônio chamado pirogênio que corre para o cérebro e avisa o hipotálamo. O hipotálamo é que regula a temperatura do organismo, entre milhões de outras regulagens; nessas horas, ele faz a temperatura subir. Como? Provocando calafrios e tremedeiras, queimando a gordura estocada, contraindo os vasos sangüíneos periféricos para reduzir a perda de calor. E a alta temperatura combate os vírus e as bactérias assim como se ferve a água para matar os micróbios.

Não precisa nem usar o termômetro: observar a aparência da criança e encostar os lábios em sua testa já chega para sentir a intensidade da febre. Se for alta, a gente percebe. Mãe que não entra em pânico não se engana.

Até 38.5 você não precisa se preocupar, a não ser que dure mais de dois dias e a criança se apresente mole, abatida. 39.5 já é preocupante, 40 dá o que pensar. Na meningite a temperatura vai a mais de 42.

Em geral os emplastros de clorofila ou de tofu, na testa e na nuca, são suficientes para manter a temperatura da cabeça num nível que não ameace o cérebro.

Internamente se dá chá de araruta com shoyu, se a causa da febre for yin, ou sumo de maçã ácida ralada, se a febre for yang. Ambos aumentam o volume de líquidos no corpo e isso vai produzir xixi ou suor. Mas como você vai saber que tipo de febre é? Bem, primeiro leia a letra Y, depois analise: como estão as fezes, moles (yin) ou duras (yang)? O que a criança andou comendo nos últimos dias, mais yin ou mais yang?

Segundo Cornellia Aihara, uma especialista em crianças e alimentação, febres muito altas são causadas geralmente pelas toxinas das proteínas animais. Ela apresenta um chá sudorífero que baixa a febre rapidinho: misture 1 colher de sopa de nabo comprido ralado com 1/3 de colher de chá de gengibre também ralado, 1/2 colherinha de shoyu e 1 xícara de banchá bem quente. Sirva e cubra a criança com um cobertor por 20 minutos, e continue tratando com esse chá até a febre ir toda embora.

Um banho de imersão, com a temperatura da água um grau abaixo da febre, é tradicional e funciona: deixe a criança ir esfriando junto com a água.

De qualquer modo, seja a febre alta ou baixa, é fundamental compreender que ela em si é um mecanismo de defesa que não se tem o direito de sabotar artificialmente — por mais que o coração de mãe se dilacere. Outra coisa a se notar é que depois de uma eliminação, seja ela febre ou doença, a criança fica mais forte do que antes.

viroses

Lembra do papo do Pasteur, lá atrás? Pois quem ainda fala em viroses está com a cabeça no século passado, quando os coitadinhos dos vírus, germes, micróbios e bactérias eram todos considerados invasores mal-intencionados. Mas, como já vimos que não é bem assim, remédio para virose é melhorar as defesas do organismo através de uma boa alimentação. Mas cuidado para não dar doses maiores de ferro, que ele é exatamente o que os agentes infecciosos precisam para se fortalecer; tanto é que o pirogênio, aquele hormônio que dá o sinal para o hipotálamo produzir a febre, tem também a função de baixar o nível de ferro no sangue.

Antibióticos atacam indiscriminadamente os micróbios infecciosos e os que nos ajudam a ficar vivos, principalmente os da flora intestinal. Aspirina e outros antitérmicos que contenham salicilato já foram amplamente condenados pelas maiores autoridades médicas oficiais dos Estados Unidos, principalmente para crianças.

diarréia

Pode resultar de um excesso de alimentos expansivos como frutas, doces e líquidos, ou é uma descarga tóxica do organismo. Chá de araruta com gotinhas de shoyu ou com um pedacinho de ameixa umeboshi carbonizada (espete no garfo e toste na chama por 10 minutos) resolve sem dor. Dê o chá como único alimento, meia xícara de cada vez, de meia em meia hora, ajeita qualquer intestino.

Bom também é enrolar aquela faixa larga de algodão, dessas que se vendem em farmácia, em volta da barriguinha da criança. Isso esquenta o hara, principal centro de energia do corpo, e acelera a recuperação.

bronquite

É uma doença das partes mais periféricas do pulmão, a traquéia e os brônquios, e tende a aparecer mais no outono e no inverno. Tem características mais yin, costuma ser crônica e dá em pessoas de constituição mais frágil. É causada pelo abuso de coisas expansivas como açúcar, gelados, frutas e requeijão. Os sintomas geralmente incluem febre, dor no peito e acessos de tosse que visam eliminar os excessos de muco. A febre nesse caso é benéfica, é uma tentativa do corpo de queimar o que está incomodando, e não se deve interferir com ela a menos que fique alta demais; aí, basta um emplastro de tofu ou de clorofila. Compressas quentes de gengibre ou cataplasma de mostarda amarela, no peito, ativam a circulação e ajudam a aliviar os acessos. Inalações de eucalipto ou de gengibre com chá de lótus facilitam a respiração.

pneumonia

A pneumonia atinge a parte mais profunda do pulmão: os alvéolos, que são como compactos sacos de ar. E geralmente dá em pessoas de aparência forte que consomem muita coisa yang, especialmente carne. Vem de repente, podendo ter sérios efeitos colaterais e até mesmo levar à morte se não for tratada corretamente. Dá mais na primavera e no verão, e um retrospecto vai mostrar que a pessoa atingida andou oscilando muito entre os extremos alimentares, tipo muita carne e muito açúçar.

Os sintomas são tosse e febre alta; a primeira providência é simplificar ao máximo a alimentação do doente, e a segunda é colocar um emplastro frio no peito, feito de carpa fresca ou tofu ou clorofila ou batata ou até mesmo carne crua bem fria, para fazer baixar a febre do peito e a temperatura geral do corpo, reduzindo assim a atividade da inflamação. Jamais faça compressas quentes nesse caso; quente, só uma boa inalação de gengibre.

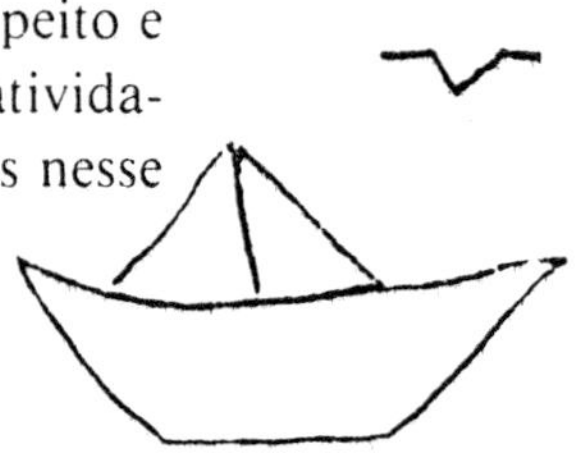

gripes

As gripes, como as febres, são uma bênção: se não fossem elas, onde iriam parar as porcarias que a gente põe para fora?

Para gripes com tosse e descarga de muco: chá de raiz-de-lótus com gengibre, como único líquido, ajuda a eliminação.

Para gripes com tosse leve e febre baixa ocorrendo após um excesso de frutas ou uma corrente de ar frio na barriga: asse no forno uma colherinha de chá de misso até ele ficar bem escuro; ponha numa xícara com uma colher das de sopa de alho-porró cortado bem fininho, só a parte branca, e despeje água fervendo por cima. Segundo Cornellia Aihara, que dá essa dica no livro Macrobiotic Child Care, esse chá esquenta o estômago e os intestinos e mata as bactérias infecciosas.

Para gripes com dor de garganta, tosse, febre, dor de cabeça e descarga de muco, pode-se usar um chá de nabo ralado (1 colher de sopa), gengibre idem (1 colher de chá), ameixa umeboshi (pedacinho carbonizado), uma colherinha de café de shoyu e banchá bem quente.

E não se esqueça da faixa de algodão enrolada na barriguinha!

circuncisão

Foi inventada para evitar infecções no prepúcio dos meninos novinhos, que geralmente é apertadinho e pode acumular resíduos. Mas não há nenhuma necessidade de cortar, circuncidar: basta você ir massageando todo dia na hora do banho, puxando a pele para baixo até aparecer bem a cabecinha do pênis, que pouco a pouco os tecidos se alargam.

Entre os judeus é marca que vem da tradicional higiene religiosa.

m

M de mastigar, que é mais importante do que aquilo que se está mastigando. A função da boca é preparar a comida para descer ao estômago, e o estômago não tem dentes. Quando se mastiga um determinado alimento ele não se enche de saliva? Pois essa saliva é produzida especialmente pelas glandulazinhas que ficam na parede estomacal para lidar com a química daquele alimento em particular. Apenas cinco milhões de glandulazinhas trabalham cada vez que você põe alguma coisa na boca do bebê. Antes, ele só mamava; depois passou para os alimentos pastosos; agora entrou nos sólidos. É hora de tudo trabalhar.

A comida bem mastigada vai escorrendo naturalmente pela garganta, quando a gente pensa em engolir já era. A mastigação fortalece os dentes. Se tiver um ritmo constante, fortalece também o cérebro. É uma das coisas da vida que podemos controlar, garantindo o desenvolvimento do corpo como um todo através da alimentação. E a comida não mastigada? Pesa na digestão, não é assimilada: vira muco.

muco
brônquios
pulmões
intestinos

Muco: o grande adversário. É ele que entope os brônquios, pulmões e intestinos, impedindo a gente de aproveitar melhor a comida que come e o ar que respira. E não se trata daquele muquinho fino, secreção normal das membranas mucosas do corpo, não — é o muco grosso, pegajoso: catarro.

catarro

kapha

o que dá muco

Kapha, como dizem os indianos. Para eles toda comida que dá solidez ao corpo é kapha, e se essa comida é mal absorvida pelo organismo o excesso é chamado também de cafa, como simplificaríamos nós aqui. Ora, cafa nas vias respiratórias e digestivas soa igual a cough, cof, que em inglês quer dizer tosse. Os ingleses dominaram a Índia durante muito tempo e trouxeram a palavra de lá junto com o conceito. Tosse é o quê? O jeito que o corpo encontra para eliminar esse excesso de proteínas e açúcares combinados chamado muco.

Comida fraca, como as farinhas e grãos refinados, açúcar, frutas em excesso ou fora da estação, laticínios, produtos artificiais e má digestão criam muito muco. Comida demais também, mesmo sendo integral. A medicina

lavagem hindu

ayurvédica da Índia antiga encontrou muitas formas de limpar esse excesso: fazendo lavagens no nariz, no estômago e nos intestinos, por exemplo, com água morna salgada, todos os dias. Mas é coisa para quem pratica ioga, tem um bom autocontrole e coloca a espiritualidade em primeiro lugar. Ah, o que tem a espiritualidade a ver com isso? Tudo. O muco é o ambiente ideal para a proliferação de bactérias e vírus; no intestino delgado ele sufoca a florestinha de capilares por onde os nutrientes são absorvidos e dificulta a assimilação dos alimentos; no estômago atrapalha a digestão; nas vias respiratórias diminui a eficiência da respiração; e tudo isso se reflete na mente, que não consegue relaxar e atingir o estado de serenidade necessário para entrarmos em sintonia com o Infinito.

espiritualidade

intestinos

estômago

vias respiratórias

mente

Mas você não vai dar meio litro de água morna salgada para a sua criança em jejum esperando que ela vomite para limpar os excessos do estômago, do nariz, dos sinus, da garganta e dos brônquios, que afinal você não nasceu na Índia, né? Você pode evitar o excesso de muco através da alimentação, compreendendo que ela tem um duplo sentido — nutre o corpo com substâncias vitais e elimina os resíduos corporais através das secreções. Igualzinho à respiração, onde expirar é tão importante quanto inspirar. Em outras palavras: observe o que a criança come e o que a criança elimina.

nutrir

eliminar resíduos

Em muitos países europeus o vaso sanitário tem uma espécie de prateleirinha onde as fezes ficam até você puxar a descarga. Isso facilita o exame do cocô, que não deve ser nem mole nem duro, nem muito escuro nem muito claro, nem muito pesado e compacto e nem muito leve e poroso; e se junto com ele houver muco, você já sabe que alguma coisa está errada.

muco no cocô

Quando o bebê ainda está no peito, e por uma ou outra razão fica resfriado e cheio de catarro, a saída é a mãe ou o pai puxar com a boca os excessos que se acumulam no nariz. O nariz é uma via natural de saída. A mãe pode tomar chá de raiz-de-lótus 15 minutos antes de amamentar; é um chá que ajuda a limpar.

aspirador filial

Quando a criança é maior, deve tomar o chá diretamente, em vez de água ou de qualquer outro líquido, e diminuir nesse período o consumo de proteínas e coisas adocicadas, bem como frutas e farináceos. Tem que ser conscientizada da importância de assoar o nariz, tem que ser ensinada a cuspir o catarro que fica na garganta. Muita gente tem vergonha de fazer essas coisas, principalmente em público, então fica fungando, impedindo a coisa de sair. O corpo da cultura moderna só ingere, só consome, não põe nada para fora. 75% das pessoas no mundo ocidental têm prisão de ventre crônica e acúmulo de muco; 95% das doenças começam aí.

assoar nariz

cuspir catarro

75% das pessoas

95% das doenças

n

Não. Como custa aprender a dizer não. E ao mesmo tempo, como é freqüente dizer não a uma criança sem pensar duas vezes, sem nem entender o que ela está querendo e por quê.

comidas: proibir, permitir

Em matéria de comida, a questão do que se permite e do que se proíbe é crucial; por mais que se tenham teorias alimentares, colocar qualquer tipo de coisa na boca é um gesto instintivo das crianças e faz parte de sua aptidão para sobreviver. Então, de repente é muito mais sensato e sensível partir do sim, procurar o sim, oferecer à criança mil possibilidades de sim, e deixar o não para as horas em que só se pode dizer não.

criança escolhe

Certa vez foi feita nos Estados Unidos uma experiência com um grupo de crianças entre 3 e 5 anos: colocava-se na mesa uma grande variedade de alimentos e elas mesmas escolhiam o que ia entrar no prato. Em duas semanas, a maioria estava escolhendo bem equilibradinho. E, o que é mais importante, de acordo com suas necessidades individuais.

Conhece a história do sujeito que estava entre a vida e a morte e acordou com vontade de comer um prato de mocotó? O médico achou que já era delírio, que o mocotó ia ser o golpe de misericórdia no cidadão, o passaporte direto para a vida eterna. Mas era uma vontade tão intensa que ele resolveu ceder; já não tinha esperanças mesmo, pelo menos o sujeito morria satisfeito. A mulher trouxe o mocotó, o homem comeu, no dia seguinte acordou bem disposto, continuou melhorando e só morreu 30 anos depois. De velhice.

o corpo sabe

O corpo sabe, o corpo sente, o corpo pede.

compensações

Quando tem que enfrentar situações desgastantes, automaticamente o corpo procura uma compensação. É como comer uma comida salgada e ficar bebendo água depois; é como estar numa festa e não conseguir entrar na animação geral sem beber um pouco.

diversidade

O que torna a vida interessante é a diversidade. À medida que vamos desenvolvendo a consciência surge um processo natural de seleção; já sabemos o efeito que cada coisa faz dentro de nós, seja um mocotó ou um filme de terror, e optamos — normalmente pelo que nos traz bem-estar. Mas até desenvolvermos essa consciência precisamos de orientação.

orientação

A última coisa que se forma no corpo humano é o córtex cerebral, a camada externa do cérebro, onde se fixam e se encadeiam as informações que vão ser aproveitadas pela inteligência — do latim interligare: a inteligência é a capacidade que se tem de interligar informações. Assim, por exemplo, se alguém diz água de coco, você imediatamente pensa num coqueiro na beira da praia em dia de calor, sente com a memória o gosto e o frescor da água, lembra de um namoro adolescente em que havia um coco com dois canudinhos e ainda é capaz de planejar inconscientemente um passeio que inclua uma paradinha para tomar água de coco. Você fixou essas informações no seu córtex.

córtex cerebral

E é assim que se aprende. Você põe a criança no colo, mostra a colher cheia e diz papa, papinha! Ela grava o estímulo visual, o auditivo, o gustativo e o calor humano; quando sente fome, chega pra você e diz: papa, papinha. Fez a ligação entre as coisas. Estabeleceu o que se chama de reflexo condicionado. Pode viver 100 anos que aquilo ela não esquece mais.

reflexo condicionado

O paladar também é uma questão de condicionamento. Na boca a criança sente a textura, a consistência e as diferenças entre doce, salgado, ácido, amargo e picante; o olfato acrescenta as peculiaridades do sabor; a visão fixa a cor e a forma; a audição registra o nome; e o inconsciente capta a vibração que você tem com relação àquele alimento em particular. Se você não gosta dele, a criança percebe e também fixa, não tão nitidamente tipo "mamãe não gosta", mas como um ponto negativo em termos de valor. Por isso é que as implicâncias alimentares em geral são hereditárias — você tende a formar o paladar do seu filho de acordo com o seu paladar.

paladar

doce, salgado, ácido, amargo, picante

implicâncias hereditárias

Olho nisso, que os preconceitos alimentares são difíceis de desmanchar. Minha mãe nunca usava folhinhas de coentro na comida. Até hoje tenho a maior dificuldade pra comer com coentro. Em compensação, ela sempre tinha alguma comidinha doce na bolsa, no armário, e peguei o hábito. Aos 29 anos descobri que estava pré-diabética de tanto comer açúcar.

açúcar vicia

limites

pense grande

Nos primeiros anos, quem vai colocar limites no universo do seu filho é você. Pense grande, amplie bem a coisa, dê a ele a chance de escolher. Ninguém é obrigado a gostar de chicória, por exemplo, que é amarguinha. Mas no fundo daquele amarguinho bem mastigado aparece o doce. Se na primeira vez que ele provar você for sincera na sua convicção interna, muda, de que chicória é gostosa e faz bem — e até mastigar junto, deixando transparecer a sua reação ao amargo e depois ao doce — já será meio caminho andado para ele aceitar.

convicção interna

doce e prazer

legumes doces

Como o leite materno é muito doce, trazemos da infância mais tenra a associação entre doce e prazer. Muitos legumes são naturalmente doces: cenoura, cebola, abóbora, abobrinha, chuchu. Beterraba pode criar acidez. O arroz integral bem cozido é doce. O feijão, se não levar sal, é doce. Deixe cada alimento ter seu próprio sabor, ensine a criança a mastigar um de cada vez para ela mesma saber a diferença e futuramente poder escolher.

Mesmo porque futuramente você não vai poder controlar mais nada. A criança vai ser do mundo, não sua, e o mundo está cheio de coisas às quais você diria não.

festinha de açúcar

— Ah, mas e quando chega o tempo das festinhas de aniversário, com todos aqueles doces cheios de açúcar e manteiga?

Tá perguntando pra mim? Então, deixe. Deixe provar, comer, se empapuçar, ter dor de barriga. Nada de meter medo, nada de botar culpa. É isso mesmo: muito brigadeiro na festa, muita dor de barriga no dia seguinte.

causas & efeitos

Vai na casa da avó e tem bife? Ótimo, assim fica sabendo como é que o bife é. E se você estiver por perto providencie bastante folhinhas verdes como salsa, cebolinha, hortelã e agrião para ajudar a digerir a carne — se é que sua criança vai comer mesmo, porque em geral crianças criadas sem carne não gostam. Aliás, crianças criadas sem açúcar em geral também não gostam de brigadeiro, dão uma mordida e largam, porque o sabor é muito forte.

O que desequilibra uma pessoa, seja adulto ou criança, não são os excessos eventuais, são os maus hábitos cotidianos. É não mastigar bem, é não comer verduras e legumes, é beber líquidos nas refeições, é não ter medida para as frutas, é não respeitar horários.

excessos eventuais x maus hábitos diários

Criança gasta muita energia e precisa repor com mais constância. Enquanto dura o crescimento é importante ela se alimentar cinco vezes por dia — desjejum, lanche, almoço, lanche, jantar. Mas nada de comer antes de dormir. A última refeição deve ser 3 horas antes, para que o corpo e a mente possam realmente repousar. E na manhã seguinte, que fome!

comer 5 vezes por dia

jejum 3 horas antes de dormir

Mas nunca force a comida, tá? Comida não é castigo e nem de longe deve ser usada como chantagem. A criança não quer comer, mais tarde vai querer.

Outra coisa básica é o ambiente das refeições. Assim que for possível ponha a criança para comer na mesa junto com os irmãos mais velhos e os adultos. Essa deve ser uma hora de harmonia, de pôr os assuntos em dia, de trocar afeto; toda a família está reunida e igualada no ato de comer — inclusive o bebê.

ambiente à mesa

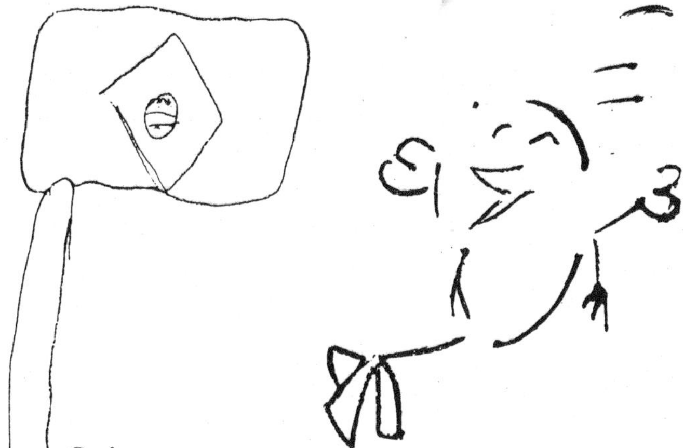

Ordem e progresso.

Quem bolou a bandeira brasileira era por certo uma pessoa pacífica e estudiosa, que dava um valor generoso a coisas que hoje não valem nada para os nossos governantes. Vejam só: o verde das matas faz um belo cinturão ecológico; o amarelo do ouro, do milho e da banana garante a fartura; o azul reflete o estado de espírito da população e o branco sugere paz. Não é lindo?

A humanidade mudou muito nos últimos 100 anos. Se por um lado pisamos na Lua, por outro lado o mundo é um grande hospital. Pouquíssimos povos mantiveram seus hábitos alimentares nos últimos 100 anos; pouquíssimas famílias se mantiveram em seus lugares de origem.

devastação ecológica

No Brasil, as terras de 100 anos atrás nunca mais foram as mesmas. Os que se intitulavam seus donos arrancaram e queimaram tudo o que ela, terra, produzia para se proteger, nutrir seus filhos e continuar linda. Confinaram o que vivia em liberdade, mataram e venderam tudo o que dava pra vender. Hoje estamos à beira de virar um imenso descampado, e as burrices antiordem&progresso continuam a acontecer. Você já parou pra pensar no absurdo ecológico que é acabar com um fenômeno como Sete Quedas? E olhe que foi ontem, e você e eu não pudemos impedir. E a indústria de álcool combustível, agora? Usamos o sagrado poder da terra para produzir engarrafamentos de trânsito. E nosso poder de reagir contra essas loucuras é nenhum. O cara que bolou a bandeira deve se retorcer no túmulo de tanto desgosto.

plantação de combustível

sensação de impotência

Nós, que em breve vamos governar o Brasil, temos que começar a entender o Brasil já. Sair das grandes e sufocantes cidades e criar outras, mais ao nosso jeito e ao nosso gosto. Cada um de nós tem soluções melhores, para enfrentar a crise, do que o governo inteiro somado com as três forças armadas e mais todos os capitalistas brasileiros, sabe por quê? Porque eles estão com a vida ganha.

entender o Brasil

Que tal experimentar *bolo'bolo**?

Abaixo o Inamps, viva a horta! Alô alô, governador, gostaria de bater um papo com o senhor! A nossa terra tem tanta banana e tanto sol, por que não secar a banana em forninhos solares e depois moer pra misturar com fubá e fazer mingau? Dá mais certo do que criar vacas para o leite das crianças. Ah, sei, mas cadê as proteínas? No queijo de soja, que em japonês se diz tofu. Tanta proteína quanto a carne de galinha, e com 1 quilo de soja se faz 4 a 5 de tofu. Como? Assim: mói a soja deixada de molho, recolhe num pano, espreme. Aí põe o coalho, feito de sal marinho, e o queijo logo está pronto. O soro que se separa leva embora a acidez da soja e serve para um monte de coisas que depois eu conto; o bagaço que sobrou, também. O gosto? Questão de tempero, assim como tudo. Já comi carnes ótimas e carnes péssimas, e o senhor? E tem o papo dos brotos, escola que não tem horta podia fazer germinar brotos de girassol, alfafa, feijãozinho verde e uma infinidade de outros para complementar a alimentação. Agora, tinha que fazer a cabeça das diretoras de escola para não comprarem salsicha, não é, governador? O senhor come salsicha? Carne eu até entendo, embora particularmente pense que um pouco de zen não faz mal a ninguém, mas salsichas, governador, irc. Imagine que o senhor pode melhorar em 200% a alimentação das crianças do Estado sem aumentar um tostão na verba. Duvida?

abaixo o Inamps, viva a horta!

banana e sol

tofu (queijo de soja)

brotos

e aí, governador? topa?

---

*Novo sistema de organização planetária, centrado no indivíduo e não no dinheiro, traduzido do original por esta que vos fala e editado em livro pela CorréCotia Literária em 1986.

P

P de pai, de quem ninguém falou nada até agora, como se o espermatozóide fosse comprado em farmácia. Ora. Afinal, pai é pai! Pode trocar fralda, dar comida, levar de manhã pra tomar sol, pendurar coisinhas balançantes em cima do berço, contar histórias, brincar, cantar, colocar compressas, fazer massagens, enfim: ser uma verdadeira mãe.

lado feminino

E às vezes pai leva até mais jeito do que mãe. Também tem intuição, também sabe ser doce e compreensivo, paciente, dedicado. Atualmente, quando é comum a mãe trabalhar fora, fica até mais fácil dividir o bebê. Some a isso que muitos pais jovens andam querendo desenvolver seu lado feminino. Deixe! Aproveite! Todo mundo vai ganhar com isso — o pai, você e o bebê.

piolho

remédios

E P de piolho, claro, que os piolhos são o maior drama escolar da atualidade brasileira. Lava com sabonete, passa remédio, faz touca de vinagre com álcool, bota querosene, lava com chá de arruda, adiantou? Só na hora. Depois volta tudo de novo.

Porque piolho tem que catar, passar pente fino, tirar as lêndeas, olhar todo dia. Talvez seja esse o problema — com a mãe trabalhando fora, ou sobrecarregada de serviço dentro de casa, não sobra tempo pra catar.

Pausa.

Tem que sobrar esse tempo.

Não estamos mais na Idade Média, quando nossos antepassados europeus tomavam um banho só por ano — no verão, é claro — e viviam coçando a cabeça. Dizem até que aquela moda dos nobres usarem peruca surgiu por causa dos piolhos que não deixavam o cabelo aparecer, não sei, me contaram. O pior é que eles adoram um calorzinho, aí deviam fazer mais piolhos debaixo da peruca, não sei. De qualquer forma, de lá pra cá o mundo evoluiu muito e cá na terrinha, graças a Deus, a gente toma banho todo dia. Mas quanto aos piolhos, é aprender a lição com os macacos: catar. E aproveitar o tempo pra conversar, acarinhar, contar histórias da infância e do lugar onde nasceu, devanear. Curtir. Namorar o filho — de cabeça limpa.

catar: paciência

Outra coisa: criança maior, que sai e brinca, precisa de um sabonete neutro para limpar o suor e a sujeira. Nem que precise tanto, mas também não atrapalha. Agora, quando o bebê é de colo, sabonete é ruim. As secreções oleosas da pele de um bebê são importantes para ela. Ele está comendo coisas limpas, então não tem muito o que eliminar pelo suor. Bastam a água morna e a mão firme massageando a pele e os cabelos, senão a pele perde sua proteção e fica muito mais sensível aos agentes externos.

sabonete

só água e mão

Para impetigo, assaduras, brotoejas e coisas assim, que são uma eliminação de acidez, embrulhe um pouco de aveia em flocos num pano fino e lave a parte afetada. Ou pingue umas gotinhas de propolina, que é a própolis diluída, na água do banho. Um toque: própolis é um verniz feito pelas abelhas para desinfetar a colmeia e mumificar os bichinhos predadores que a invadem. Seu teor de resina é enorme. Embora uma vasta literatura aparentemente científica diga que própolis é bom bactericida também para uso interno, ficam as perguntas: como é que nós digerimos essa resina? Será que ela, mesmo diluída, não vai se acumular em algum lugar do corpo? E finalmente, será que todos os produtos naturais devem ser consumidos sem cuidados?

impetigo, assaduras, brotoeja: trouxinha de aveia

própolis, propolina: verniz

Para assaduras da bundinha e do pescoço: deixar a área exposta à luz e ao sol, polvilhar com araruta ou maisena ou passar leite do peito (é tiro e queda, também em caso de secreção nos olhos ou dor de ouvido), passar pasta d'água (polvilho e água) e limpar com óleo de copaíba em vez de água. Certas pomadas muito usadas nas assa-

assaduras: sol, araruta, leite materno

secreção, dor de ouvido: óleo de copaíba

duras impedem a acidez de sair e transferem o problema para o ouvido, sabia?

pulgas, pernilongos, carrapatos
sangue doce
guerra nas coceiras
misso
bicarbonato
clorofila

Mordidas de pulgas, pernilongos e carrapatos: só vão coçar se a condição da criança estiver mais ácida que alcalina, o que não é bom. Quem come mais açúcar e frutas é mais sujeito a mordidas, e o ambiente ácido favorece a proliferação das bactérias infecciosas que por sua vez atraem os anticorpos e pronto: da batalha entre eles é que surge a coceira. Passe misso, ou papinha de bicarbonato com água, clorofila socada, ou leite de magnésia, qualquer coisa alcalina. Melhora no ato.

9

Que coisa, o açúcar, hem? Hoje em dia não se fala noutra coisa e a turma está dividida: há os que não comem mais, os que comem mas acham que deviam parar de comer, os que comem e vão continuar comendo — e os que bebem, cuja primeira resposta geralmente é "não gosto de doces". Álcool é açúcar convertido em água, dá na mesma em termos de glicose.

E a gente adora açúcar desde que nasce, não por acaso. O açúcar é a primeira coisa que entra na boca da gente depois do bico do seio da mãe. A gente mal começa a sentir aquela carência profunda chamada fome e logo vem um peito quente e macio encher a barriga da gente. Com quê? Com um líquido branco e docinho.

glicose

combustível

Tudo o que a gente come se resume nas seguintes coisas: proteínas, gorduras, vitaminas, minerais, água — e glicose. Glicose é o açúcar produzido pelo corpo a partir da digestão de alimentos ricos em carboidratos. Esse açúcar serve de combustível para as células do corpo inteiro, que trabalham sem parar, e também é combustível para todos os músculos do corpo, que se movem o tempo todo. Já reparou como a vida nunca pára?

— Nem quando a gente dorme? — pergunta a criança.

— Nem. Só que funciona mais devagar. Por isso é que a gente sonha que fez muita coisa mas acorda descansada e bem disposta de manhã. E a glicose tá lá, nutrindo de energia aqueles sonhos e aquele descanso.

fome

o que é vivo come

Agora, fome é sinal de que o nível da glicose no sangue baixou, então o corpo inteiro reclama usando a boca do estômago como porta-voz. Dá aquele buraco sem fundo e a gente põe a boca no mundo. Dizem que a igualdade entre os homens está no estômago, de fato está em tudo o que tem vida, animal ou vegetal. Tudo que é vivo come. Consome. Quer mais. São artes do instinto, comer é o mínimo que se precisa para sobreviver. As plantas comem pela raízes e também pelas folhas, assim como nós comemos pela boca e respiramos ar. Mas até o ato de respirar é sustentado pela glicose que temos no sangue. Por isso, quando os vagõezinhos de glicose do sangue estão vazios, valha-me Deus: alarme geral.

Ora, pois bem, o leite da mãe é pura glicose — com proteína e gordura para construir as células, mais vitaminas e minerais para enriquecer o sangue. Então, desde cedo a gente fixa aquele sabor como o sabor do prazer. E até aí tudo bem. Quem não quer o prazer?

sabor do prazer

O problema é que o açúcar vicia. Ainda mais com a propaganda alardeando que açúcar é energia. Energia, todo mundo quer; rápida, doce e barata, então, nem se fala. Açúcar é o prazer artificial mais imediato, acessível e conhecido que existe no mundo, sem preconceito de raça, sexo, cor, religião, partido ou idade. Quer coisa mais comercial? Já leu Sem Açúcar, Com Afeto, desta mesma autora que lhe fala? Pois lá se comenta que desde 1500 o açúcar tem sido a droga mais descaradamente comercializada de toda a história. Em 1600 já se sabia que o açúcar faz mal para a saúde, que é uma substância muito refinada — 99% sacarose — que não contém nutriente algum, e que ainda por cima rouba os nossos minerais e as nossas vitaminas, enfraquecendo o corpo e predispondo a gente a infecções de qualquer tipo.

prazer ou vício

Mas alguém parou de comer açúcar? Não. Por quê? Porque, além de ser gostoso, é preciso muita malícia para entender a jogada do açúcar, e nem todo mundo é malicioso igual. Veja só:

maliciosamente

☆ a corte européia de 1500 (rica, burra e devassa, segundo as aparências) era completamente viciada no raro e caro açúcar que vinha das Índias, produzido com a cana-de-açúcar de lá;

um pouco de História

☆ note-se que na Índia o povão nunca foi dos mais saudáveis, mas em compensação todo hindu sabe jejuar, meditar e viver como mendigo — isso há séculos e séculos, e por convicção de que este é seu carma. Lá, no intensíssimo clima tropical, extremo yang, era inevitável brotar uma coisa tão yin como a cana-de-açúcar;

☆ aqui, não sei não, me parece que a coisa era mais pro lado da banana enquanto possível fonte de doçuras.

Mas os portugueses estavam interessados é na cana, então trouxeram caravelas de mudinhas para este solo onde "em se plantando tudo dá". Este era o código do Pero Vaz de Caminha para El Rey de Portugal. Significava: "A mudinha de cana pegou, Majestade! Vamos derrubar as matas, plantar canaviais, instalar aqui engenhos de açúcar e ficar ricos!" E não foi o que fizeram? Tá lá, em qualquer livro de História;

a doce colonização

☆ ou seja, a cana não teria nada a ver conosco se não fossem as noitadas açucaradas da corte portuguesa e suas coirmãs, que de resto também entraram de gaiatas nos hábitos e costumes dos outros, já que não nasce cana na Europa.

Marshall MacLuhan se enganou: foi naquela fase que o mundo começou a virar uma aldeia global, importando e exportando gente, cultura e alimentos de um para outro lugar. Tudo bem. Nada errado com a mistura. A questão é saber equilibrar. O que está mais próximo de nós tem mais a ver conosco, mas para nos desenvolvermos plenamente precisamos conhecer tudo, saciar essa outra fome que é a curiosidade, poder desfrutar de vários tipos de prazer.

aldeia global

Só que gostar é uma coisa, ser escravo é outra! Em relação ao açúcar a gente vê uma verdadeira escravidão. Quantos tomam o café da manhã sem açúcar? Quantos não tomam um cafezinho ou vários mais tarde, ou um refrigerante? Quantos recusam um chocolate? Quantos conseguem emagrecer?

escravidão

Quantos podem parar com o açúcar ou o álcool ou o fumo ou o leite ou as drogas na hora em que quiserem?

Quantos podem parar de comer compulsivamente, mesmo quando há anos não sabem mais o que é sentir fome?

O açúcar é a substância isolada que mais mata no mundo atualmente. A diabete, o câncer e os problemas cardíacos estão intimamente ligados ao açúcar e aos desequilíbrios alimentares causados por excesso de produto animal, farinhas refinadas, sal e aditivos químicos. Já existe um índice altíssimo de diabéticos no Brasil — 6.500.000 em

diabete, câncer, problemas cardíacos

84, oficialmente, e três vezes mais pelos meus cálculos extra-oficiais — e aumenta a cada dia o número de crianças diabéticas.

crianças diabéticas

Mesmo, e tomara, que a coisa não atinja níveis de doença, as crianças que comem açúcar crescem menos, desenvolvem menos a inteligência, dormem mal, são desanimadas, ou hiperexcitadas, irritadiças, carentes e ansiosas. Para elas, o açúcar lembra aquele peito calmo e gratificante das mamadas, mas na verdade nunca é. E o corpo reclama do excesso, a criança faz manha, você repreende, ela fica mais carente ainda e não entende por quê.

problemas de comportamento

carência, bronca

Ah: periga fazer xixi na cama.

xixi na cama

E tem mais: você já deu uma olhadinha nas cantinas dos colégios em que pretende matricular a prole? Enquanto não conseguirmos convencer os diretores a pensar um pouco no que se vende para as crianças e oferecer ao menos algumas alternativas saudáveis, o quadro tende a piorar.

Mais ainda: sabia que o consumo regular de refrigerantes impede a assimilação adequada do cálcio, devido à grande quantidade de fósforo que eles contêm?

Respirar é uma boa coisa da vida que a gente pode aprender. Observe o seu bebê dormindo — a barriguinha dele se enche quando ele inspira, esvazia quando ele expira. O movimento instintivo é esse, respirar com o pulmão todo, enchendo primeiro a parte baixa e depois a alta, e expirando a partir da parte baixa também. Isso não só renova completamente o ar dos pulmões como ainda ativa a região do hara, o chakra central do corpo humano, que fica 4 dedos abaixo do umbigo e distribui energia para o corpo todo. Quando queremos encontrar o nosso eixo, basta pôr a consciência no hara, endireitar a coluna e respirar fundo que tudo acontece.

hara, o chakra central

Entretanto, é comum bloquearmos um tanto esse movimento abdominal à medida que crescemos. Com isso, entre várias outras desvantagens, a eficiência da respiração diminui. Observe a respiração do seu filho, corrija se for o caso, com simplicidade, apenas mostrando a ele que o ar deve chegar até o fundo da barriga, como se o pulmão estivesse lá.

bloqueios abdominais

Observe também se ele dorme de boca fechada. Nas crianças com excesso de muco o nariz entope à noite e elas respiram pela boca. Isso enfraquece o sistema respiratório, as defesas e a energia cerebral.

respirar pela boca

Sexo faz diferença, sim: menino é mais yang, menina é mais yin.

Isso quer dizer que menino recebe mais influência do céu e de sua energia condensadora, e que a menina recebe mais influência da terra e de sua energia expansiva. A alimentação ideal reforça a natureza da energia, ajudando a criança a se colocar melhor no mundo. Assim, meninos normalmente comem um pouco mais yang e meninas um pouco mais yin. Como é isso? Veja na letra Y.

Mas tenha sempre em mente que os opostos se atraem. Um menino pode querer muitos doces se sua comida for muito salgada ou cozida, ou se tiver muita atividade física, e uma menina vai querer mais sal e carnes se comer frutas demais. Ambos ficarão fora de equilíbrio.

Observe o que a criança come com mais apetite, o que repete, o que recusa. Essa é a pista que você segue no dia-a-dia para manter um controle sobre a saúde do seu filho.

yang ativa e tensiona

yin relaxa e amolece

Quem cozinha tem uma arma nas mãos. Além de passar sua própria energia para os alimentos, influi decisivamente no comportamento de quem come dependendo de como combina a refeição. Uma criança criativa, por exemplo, pode ser bloqueada por uma dieta macrô rígida onde tudo seja cozido; mesmo que isso seja necessário por uns tempos para o fortalecimento do corpo, é importante aumentar a variedade e os contrastes assim que for possível. Da mesma forma, uma criança mais voltada para o raciocínio lógico pode ficar perdida se comer mais legumes, verduras e frutas (yin) do que cereais, feijões, raízes e sopa de misso (yang).

Na época dos estudos, quando se desenvolve a capacidade de concentração, alimentos yin atrapalham. A concentração é yang. Muito yang, entretanto, deixa a criança tensa, rígida e impaciente; aí, um pouco mais de salada e frutas tem o poder de acalmar.

Tudo o que é natural vive melhor quando está em contato com a natureza. Bichos, por exemplo, em geral não ficam doentes; mas nos zoológicos, onde não podem escolher seus alimentos, os macacos têm pneumonia, os leões sofrem de úlcera e câncer e os elefantes são diabéticos. Trate um cachorro com as mesmas gostosuras que se dá para um criança comer e ele morre em três meses.

microbiologia

Os micróbios são naturais. Sem eles não acontece a síntese das substâncias que fazem crescer os vegetais, e sem os vegetais os animais não vivem.

A água está cheia de micróbios — os mais legítimos germes e bactérias sintetizadores que se pode querer na vida, mesmo na mais pura água de fonte. Se você puder obtê-la, fresquinha, será ótimo para o seu filho. Mas se você ferver essa água ela vai ficar cheia de micróbios mortos, ou seja, lixo. Claro que nas grandes cidades o problema é grave, porque a água é da torneira mesmo, vinda de reservatórios que não se pode controlar. Aí, se você achar melhor ferver, deixe a água descansar depois num recipiente de barro durante no mínimo duas horas e use somente a metade superior. Isso também se faz com água fresca de poço do qual se tenha dúvidas.

filtragem da água

Uma filtragem eficiente é feita assim: compre um desses filtros de dois andares, de barro ou vidro, e forre o fundo da parte de cima com uma camada de carvão, uma de areia de rio e uma de pedras também de rio. No vidro fica lindo. E funciona.

a cor da urina

Nosso corpo é 2/3 água, as comidas que comemos também. Se não temos sede não devemos beber; desde que a cor da urina seja amarelo-claro, tudo bem. Se estiver escura é sinal de rins contraídos, talvez por excesso de sal, e se for sempre incolor pode indicar que os rins funcionam mal.

água na digestão

A água atrapalha a digestão no estômago, diluindo os sucos gástricos, por isso é que não se bebe água antes, durante e logo depois das refeições. E quando se bebe, vale lembrar um antigo ditado oriental: beber o alimento, mastigar o líquido. A saliva, no alimento, começa a digestão; a saliva, na água, ajuda a limpar o corpo.

agrotóxicos & aditivos

Um assunto cada vez mais comentado é a poluição dos alimentos. Pelos agrotóxicos, nas plantações, e pelos aditivos químicos na comercialização.

Os agrotóxicos surgiram quando o homem resolveu fazer monoculturas, plantando milhares de pés da mesma coisa numa grande área. Abóbora, digamos. As lagartas que adoram abóboras também adoraram a idéia, avisaram o lagartal inteiro e se mudaram para o aboboral. O plantador primeiro viu só duas ou três, tirou com a mão; depois percebeu que eram muitas, correu na venda, comprou um lagarticida e meteu bronca. Se as abóboras fossem suas e seu orçamento dependesse da colheita, o que você faria?

Como?

Ah, sim! Você também já leu o livrinho Unidade da Vida, do Edson Hiroshi Seó, edição Espade, e já sabe que se plantar a abóbora espaçadamente pelo terreno, com verduras de cheiro forte pelo meio, os pragas não atacam.

controle biológico das pragas

Ótimo. Então você já sabe também que existem formas mui simples de proteger suas frutas, né? Hiroshi explica que os bichos das frutas — como o da goiaba — são larvas de moscas, que fazem das frutas seu ninho e põem seus ovos ali, acabando com a fruta. Pois bem, existe um insetinho micro-himenóptero que adora fazer seu ninho no corpo da mosca, botando seus ovos ali e acabando com a mosca. Então, quando o pomar começar a produzir e as mocas chegam, fazendo as frutas cair, você recolhe essas frutas e põe num viveiro de tela enterrado no chão. As larvas crescem, viram moscas e atraem milhares de micro-himenópteros que dão cabo delas e também das moscas de fora. As frutas amadurecem perfeitas, sem pesticidas nem agrotóxicos. O que é um conforto, pois como diz meu pai, pior do que comer um bicho de goiaba só mesmo comer meio bicho de goiaba.

meio bicho de goiaba?

A variedade de espécies e a harmonia entre elas são características da natureza, mas cada estação, cada clima, cada solo têm suas peculiaridades para oferecer. Bem faz quem se alimenta com produtos locais e da época: fica mais identificado com a natureza do ambiente em que vive, tocado pela mesma energia.

Agora, quem come produtos industrializados vai pelo caminho contrário: não ganha energia, não se alimenta direito, gasta as reservas orgânicas e ainda acumula dentro de si perigosas substâncias químicas. Veja só uma relação de aditivos publicada por Sílvio Lancelotti, na Folha de São Paulo, traduzindo um folheto do Center for Science in the Public Interest (1755 S Street NW, Washington DC, 20009, USA):

BHA, BHT

Antioxidantes muito comuns em flocos de cereais, gomas de mascar, batatinhas fritas. Indutores de reações alérgicas. Sobre o BHT, já se constataram, também, episódios de moléstias hepáticas e aumento do volume do fígado.

antioxidantes

Corantes artificiais

Mesmo nos EUA os corantes artificiais não foram suficientemente testados. Usam-se em refrigerantes, sucos, doces, balas, sorvetes, gelatinas, guloseimas em geral. No Brasil, são raríssimos os produtos que indicam, nas suas embalagens, os tipos específicos de corantes que contêm. Os mais perigosos: Laranja n.º 2 (utilizado em cítricos, inclusive para melhorar o aspecto visual de algumas frutas), Vermelho n.º 3 (bebidas, doces, provável indutor do câncer), Vermelho n.º 4 (causador do câncer em ratos), Amarelo n.º 5 (usadíssimo em gelatinas e em comida animal).

corantes

MSG, glutamato monossódico

Funciona como catalisador de sabores. Presente em sopas, sucos e outros enlatados. Habitualmente indexado nas embalagens. Causa uma doença apelidada de "a síndrome do restaurante chinês": dores de cabeça, enrijecimento dos músculos do peito e da nuca, formigamento dos antebraços. Experiências com ratos demonstraram uma fulminante destruição de células cerebrais nos bichos mais jovens.

glutamato

Ácido fosfórico, fosfatos

De inúmeras aplicações, particularmente em produtos de padaria e patisseria, queijos, cereais desidratados, refrigerantes artificiais, pós de cozinha. Sua ingestão indiscriminada provoca um desequilíbrio nutritivo que a FDA norte-americana já provou estar absolutamente ligado a uma doença dos ossos, a osteoporose.

Cloreto de sódio

cloreto de sódio

O sal industrializado, que se usa para dar sabor ou para assegurar a preservação da imensa maioria dos enlatados. Obviamente, os organismos animais e humanos precisam do NaCl. Em excesso, contudo, ele aumenta a pressão sangüínea e pode contribuir para os problemas do coração e para uma série de moléstias renais.

Sacarose, dextrose

sacarose, dextrose

Os açúcares, os adoçantes dos refrigerantes, refrescos, certos doces e balas, produtos de padaria ou patisseria. Não têm qualquer valor nutritivo. Apenas acrescentam calorias inúteis ao metabolismo. Ligadíssimos à eclosão de cáries dentárias.

Bissulfito de sódio, dióxido de enxofre

bissulfito de sódio dióxido de enxofre

Preservantes, branqueadores, estimuladores da manutenção das cores naturais de frutas e vegetais. Utilizados francamente em compotas e conservas, certos vinhos de segunda linha, sucos, legumes desidratados. O bissulfito destrói a vitamina B. O dióxido, ultratóxico, destrói a vitamina A e pode levar a problemas de visão.

Vermes. Será? Os principais sintomas são cansaço, falta de vitalidade, preguiça; fome constante, que nunca se satisfaz e mantém a criança magra por mais que ela coma; pode haver anemia; pode haver enjôo, com uma dor do tipo cólica na área do duodeno algumas horas após a refeição; irritabilidade, choros constantes até quando dorme, ranger de dentes, unhas roídas; ruguinhas ou depressões nas unhas, principalmente do polegar; uma cor amarelada no branco dos olhos, na região próxima ao nariz, em 50% dos casos; movimento intestinal fragmentado, irregular; barriga inchada.

Podem ser tênias ou solitárias, aquelas chatinhas que nem talharim, que entram no corpo quando comemos carne de porco ou de vaca mal cozida ou contaminada, ou através de mariscos estragados; podem ser nematóides, ou seja, oxiúros — que produzem coceira no ânus e vivem no intestino grosso — e ancilóstomos, que entram pela sola dos pés e sobem pelo sangue até o pulmão, de onde continuam subindo até chegar ao aparelho digestivo; podem ser lombrigas, cujos ovos vêm geralmente nos legumes e verduras cruas.

Os exames de fezes têm que ser muito bem-feitos para apontar com certeza o verme que está causando problema. A giárdia, por exemplo, é difícil de detectar.

O tratamento natural é simples — mastigar muito bem, de estômago vazio, um punhado de arroz integral cru com sementes de abóbora, melancia ou girassol, torradas sem sal, durante 3 dias, e tomar meia hora depois da mastigação um chá bem forte de artemísia.

arroz
integral cru
sementes de
abóbora
sementes de
girassol
chá forte
de artemísia

Nesse período os alimentos devem ser todos cozidos e levemente salgados, de forma a produz um ambiente interno mais alcalino onde os vermes não terão condições de sobreviver.

Como manutenção, repita o tratamento uma vez por mês.

Na roça se dá sumo de erva de santa-maria durante 3 dias, ou ferve-se a erva no leite.

Washington DC, USA, fevereiro de 1977. O governo norte-americano publica um relatório do Senado chamado Dietary Goals for the United States — Metas Alimentares para os Estados Unidos — que já começa dizendo que a alimentação moderna está matando.

Recomenda reduzir bastante o consumo de açúcar, sal, gordura, proteína animal e produtos refinados e aumentar muito a ingestão de cereais integrais, legumes, verduras e frutas. Isso, conclusão de uma comissão especializada em nutrição e saúde formada pelo Senado, liderada pelo George McGovern e integrada pelas maiores autoridades em medicina e nutrição do país.

Você acha que a indústria de alimentos & similares tremeu na base? Nada. Aumentou o número de restaurantes e lojinhas naturais, mas o grosso da população segue se matando pela boca, dando lucro às multinacionais de alimentos e remédios, rebanho hipnotizado pela comunicação de massa.

a onda "natural"

Aqui no Brasil estamos na onda do "natural". Até sanduíche de atum na praia é "natural". Uma grande rede de supermercados do Rio, onde se vende o arroz integral três vezes mais caro do que nas lojinhas, já entrou na onda e adotou a palavra "naturalmente" como slogan.

Em compensação, "macrobiótica" tornou-se uma palavra assustadora, refletindo a imagem de uma comida escura e de paladar desagradável. Tá certo, o nome é feio,

macrô radical

e os primeiros macrobióticos exageraram um tanto na dose de ortodoxia. Até hoje, no Rio e em São Paulo, alguns dos restaurantes mais radicais chegam mesmo a apresentar uma comida que só se come por obrigação, dureza ou

macrô ampla: ciência e arte

distração. Mas essa imagem negativa é injusta para com a macrô, cuja proposta é arte e ciência ao mesmo tempo: compreender o alimento que a natureza dá e aprender a torná-lo uma delícia.

sintonia com o grande

A macrô ensina a entrar em sintonia com o grande através do pequeno, conhecer melhor as cores e os sabores, pesquisar esse universo riquíssimo que temos dentro e fora de nós e respeitar suas leis. Saber lidar com as situações através dos alimentos — não por fanatismo ou religião, mas porque comer, respirar, movimentar-se, pensar e amar são nossas cinco atividades básicas e precisam funcionar bem, do estágio mais material que é comer ao mais espiritual que é amar. Macrô é que nem psicanálise, depende da interpretação. Bem-feita é boa, bonita e barata, ideal para tempos de crise, já que se economiza no açougue, no supermercado e na farmácia. Gostosa como a natureza fez, variada, colorida, bem temperada, revolucionando mentes e corações.

boa, bonita e barata

mentes e corações

Macrô é o costume árabe de comer hortelã, alho e cebola com o quibe cru: ajuda a digerir as proteínas. É o PF servido no interior de Minas, que vem com arroz, feijão, legumes, raízes, um pedacinho de carne e um montão de verdura. É índio assando peixe e banana pra comer junto. Ninguém inventou nada de novo, todo povo come equilibradamente em sua origem. Depois viaja, ou recebe influência de fora, e vai trocando os valores tradicionais pelas novidades — sem lembrar que a tradição quase nunca é vã. A macrô é simplesmente uma proposta atual de reviver esses valores tradicionais de alimentação e saúde para escapar da avalanche de doenças que está vindo agora.

árabes, mineiros e nativos

Hipócrates, o pai da medicina moderna, sempre dizia: "Faz do alimento o teu medicamento. Não se cura a doença, cura-se o doente. Não podemos analisar só uma parte, temos que observar o corpo e a mente como um todo."

Hipócrates

Taí — Hipócrates era macrô.

E a Rainha Sofia, da Espanha, também — mesmo adorando mousse de chocolate.

rainha da Espanha

Quanta gente come nos restaurantes macrôs só porque são mais baratos?

Agora, voltando a Washington, o Senado late e a caravana passa. A maioria da população não vai mudar tão cedo, nem lá nem cá, porque não tem condições de consciência para isso. Ou não tem nem dente pra mastigar direito, ou não tem nem o que comer. Mas com uma pequena parte, 10%, do que os Estados Unidos gastam em carne,

10%? e o lucro?

60 milhões de pessoas poderiam comer cereais e leguminosas. A fome do mundo é um mito. A China tem a maior densidade demográfica do mundo e ninguém morre de subnutrição. O mundo ocidental, hoje, está a serviço apenas do lucro — e a humanidade que se dane.

você é o exemplo

parentes vizinhos

A revolução tem que ser pessoal. Quando você passa a comer melhor gastando menos, você é o exemplo. Seus parentes e vizinhos cedo ou tarde vão notar, vão lhe pedir receitas, vão perguntar pra que serve tal chá ou o que é que cura úlceras — e aí você passa a revolução adiante. Se num quarteirão todo mundo começar a reduzir a carne, o açougueiro vai ter que vender outras coisas. Se o dono do armazém da esquina se convencer de que arroz e pão integrais dão lucro, você vai poder comprar arroz e

comunidade

pão na esquina. Mais vale a sua vivência na comunidade do que todas as publicações do Senado norte-americano.

x

O x da questão é ter senso de medida. Yin e yang, doce e sal, forte e frágil se completam. Como tudo o que tem frente tem fundos, com exceção de alguns cheques, muita disciplina na comida tem que ser compensada por umas transgressões de vez em quando.

Pizza dá catarro, mas não mata. Sorvete é bom para aumentar a tosse. Hambúrguer com coca-cola dá a maior dor de barriga. Doce demais enjoa.

comendo porcarias?!?

Não se preocupe. A criança tem que sentir o que funciona e o que não funciona no seu próprio tempo, quando tiver os canais de consciência bem abertos. Até lá, de segunda a sábado, você segura: no domingo, até Deus descansou.

Agora, à medida que a criança vai crescendo, cresce também a contestação — ela quer testar os limites, questionar o estabelecido. Na escola a turminha come pão branco com presunto, refrigerante e chocolate; em casa é sopa de pacote, arroz branco, bife, ovo, leite açucarado de manhã, requeijão de copo, biscoito, manteiga, geléia. É a típica alimentação desequilibrada que está formando uma legião de doentes crônicos, mas seu filho ainda não percebe isso, e sobretudo gosta dos amiguinhos, de estar com eles na casa deles.

Você fica arrepiada só de pensar que sua tão bem nutrida cria vai passar um fim de semana na casa dos outros, comendo o que der e vier? Bobagem. Prepare um banchá com umeboshi carbonizada quando ele voltar, ouça suas aventuras, saiba tudinho o que ele comeu e no dia seguinte tratem os dois de equilibrar o cardápio para compensar a farra.

banchá com umeboshi

compensando a farra

Certo?

Yin e yang são palavras chinesas muito antigas que representam o pólo negativo e o pólo positivo da energia universal.

Yin, o negativo, sai da terra e se expande. Yang, o positivo, vem do espaço e se concentra. Ambos se movem em espiral, mas cada um num sentido: yang de fora pra dentro, yin de dentro pra fora. E quando se encontram, se enroscam feito porca e parafuso. A eletricidade que a gente usa não precisa de dois fios para formar corrente? São o yin e o yang, formam corrente, acendem a lâmpada.

Uma planta é yin em suas folhas e yang em suas raízes. Quanto mais altas e largas as folhas, mais yin; quanto mais profunda a raiz, mais yang. O pênis do menino é uma concentração da força yang que entra pelo redemoinho da cabeça, os seios da menina são uma manifestação da força expansiva yin que entra pelo sexo.

Mas yin e yang estão em tudo, nada é só yin nem só yang, ambos são opostos complementares e sempre relativos. Uma menina é yang porque é animal, é yin porque é menina, mas sua constituição pode ser yang se ela for toda redondinha e compacta, e sua circunstância pode ficar yin se ela está doente. E o mesmo com o menino. Tudo vai mudando conforme a ação de yin e yang sobre yin e yang.

Aí alguém pode perguntar: mas pra que essa complicação toda?

os povos antigos

Exatamente pra simplificar. Os povos antigos eram mais simples, lógicos e completos na sua explicação do mundo.

Pra começar, ninguém era dono da verdade: todo mundo sabia, desde pequeno e através de tempos imemoriais, que a vida não passa de um jogo de circunstâncias.

energia + energia

Como as pedras no fundo do rio, as circunstâncias são movidas por forças que agem no espaço e se atraem ou se rejeitam entre si. Claro que de cada casamento de forças surge um tipo de movimento; e o movimento modela a matéria. Não vemos a energia nem o movimento com estes olhos que a terra há de comer, mas vemos a matéria e podemos imaginar o resto.

Bom. Então imaginemos. Se todos os fenômenos surgem da combinação das duas energias em diferentes proporções, uma fatalmente vai ser maior que a outra. Esse maior, se forma um material compacto, quente, em tons de vermelho, e ativo, mostra que a predominância é yang. Se, ao contrário, a massa for expandida, fria, porosa, em tons de verde e azul, e passiva, a predominância é yin.

Em yang a energia é concentrada, em yin ela é expandida. Yang vira pra dentro, yin bota pra fora.

Yang demais fica todo tenso, contraído, cara fechada, teimoso, mal-humorado, cenho franzido.

Yin demais fica toda bobona, pastel, relaxada, preguiçosa, volúvel, insegura, maria-vai-com-as-outras.

machão/
mocinha

O machão típico é muito yang, a mocinha frágil dos romances é muito yin.

Então, voltando aos chineses, na prática eles batiam o olho numa criança e logo sacavam tudo. Se ela era gorducha, expandida, eles já sabiam que ela comia alimentos expansivos em excesso e que provavelmente era manhosa, instável, difícil, numa palavra: yin. Ela precisaria ser tratada com mais comidas e atividades yang. Mas se a criança era magra, podia ser yang ou não; tinham que saber se a magreza era natural ou causada por desequilíbrio. Examinando a distribuição dos olhos, do nariz e da boca no rosto: mais próximos, mais yang, mais separados, mais yin. Notando a posição dos pés ao andar — mais pra dentro, mais yang, mais pra fora, mais yin. Observando a coloração da pele — mais vermelha, mais yang, mais pálida, mais yin. Mais calada, mais yang, mais faladeira, mais yin. Mais ereta, mais yang, mais curvada, mais yin.

rosto
andar
pele
falar
postura

Como se isso não bastasse, os povos antigos sabiam também que a cabeça e os rosto expõem a natureza e o estado dos órgãos internos.

lábios:
aparelho
digestivo

Os lábios mostram o aparelho digestivo: o superior corresponde ao estômago, o inferior aos intestinos. Lábios inchados e duros, má digestão e fezes retidas; lábio inferior expandido, beiçudo, intestino mais solto; boquinha apertada, intestino seco.

olheiras: pulmões e intestinos

Olheiras, se não forem por falta de sono, indicam intestinos e pulmões sobrecarregados e excesso de sal.

olhos molhados: yin

Olhos piscando ou lacrimejando muito mostram excesso de yin.

bolsas e rins

Bolsas inchadas abaixo dos olhos significam rins funcionando mal, retendo líquido.

rugas e o fígado

Rugas verticais entre as sobrancelhas são o fígado a mil por hora e o humor correndo riscos.

boqueira e o duodeno

Boqueira, aquela rachadura nos cantos dos lábios, tem a ver com duodeno.

couro cabeludo e vesícula

Puxou o cabelo da cabeça e doeu? Vesícula.

orelhas, rins e constituição

Orelha tem formato de rim e revela o rim, cada qual de um lado. As orelhas são as antenas do corpo, captam as vibrações sonoras e também percebem outras vibrações do ambiente. Não é à toa que se fica de orelha em pé, ou com pulga atrás da orelha. Já viu como as orelhas dos gatos e cachorros são atentas? Puxar as orelhas pra cima ativa as antenas, puxar pra baixo pelo lóbulo traz alegria e serenidade. Olhaí a origem do puxão de orelha.

A formação da orelha mostra também a constituição do corpo. Se ela é grande, pegando da linha dos olhos à linha da boca, e tem o lóbulo bem-feito, parabéns: taí uma constituição boa, e quanto maior o lóbulo, melhor. Orelhas de abano, ou de lóbulo pequeno, mostram uma constituição mais fraca.

Bem, então os antigos chineses olhavam pra tudo isso, percebiam a natureza da criança e a natureza do desequilíbrio e partiam para o contra-ataque. Como? Se era

médicos à moda antiga

uma condição yin, yang nela; se era yang, tome yin — e depois dos primeiros socorros tratavam de equilibrar o tratamento no centro. Mesmo porque os médicos da China recebiam por mês pra cuidar da saúde das pessoas, e não das doenças. Se a pessoa ficava doente era um sinal de incompetência do médico, então ele parava de receber; e se a pessoa morresse, ele era obrigado a colocar o nome do morto e uma lanterna vermelha em sua porta para todos conhecerem o seu fracasso.

Existe um livro do professor Tomio Kikuchi chamado Yiniologia que vai fundo na análise do yin-yang. Em matéria de comida, dê uma olhadinha na tabela se quiser se orientar, sempre lembrando que tudo é relativo, que os opostos são complementares e que o caminho do meio é o melhor para quem teme as desarmonias ou precisa se reequilibrar.

Prof. Kikuchi

são mais yin:	são mais yang:
vegetais	animais
carnes brancas	carnes vermelhas
verduras e legumes	raízes
legumes aquosos	legumes secos
folhas grandes	folhas pequenas
raízes, legumes, verduras	cereais e feijões
feijões grandes	feijões pequenos
arroz agulha	arroz cateto
verde, roxo, azul	laranja, amarelo, marrom
frutas tropicais	frutas de inverno
sucos de fruta	água ou chá
doces	salgados
muita comida	pouca comida
comidas cruas, frias, feitas no vapor, fervidas	comidas de forno, pressão refogados, frituras

tudo é relativo: mais yin em relação a quê?

mais yang em relação a quê?

extremo yin:	médios:	extremo yang:
açúcar branco	cereais	ovos, ovas, caviar
drogas químicas	feijões	carnes vermelhas
café, álcool	raízes	queijos salgados
gelados	legumes	assados, churrascos
gordura	verduras	sal

O que faz um sábio quando quer harmonia? Combina as energias contrárias de modo que o resultado final seja forte e suave ao mesmo tempo, ativo mas flexível, empreendedor e paciente, masculino e feminino.

Quando fizeres de dois, um,
e quando fizeres o de dentro igual ao de fora
e o de fora igual ao de dentro,
e o de cima igual ao de baixo,
e quando tornares o macho e a fêmea um só,
de modo que o macho não seja macho
e a fêmea não seja fêmea,
quando fizeres um olho no lugar de um olho
e uma mão no lugar de uma mão
e um pé no lugar de um pé
e uma imagem no lugar de uma imagem,
aí entrarás no Reino.

Jesus?

Isso faz parte de um legado de Jesus que a Igreja não absorveu, o Evangelho de Tomé. Os manuscritos foram descobertos há poucos séculos, escondidos nos lugares mais incríveis. E Jesus sem dúvida estava falando do movimento das duas correntes de energia, sua manifestação material e a harmonia que deve haver entre ambas e que podemos controlar.

o de cima é igual ao de baixo

Não é por acaso que os santos jejuavam: sendo o de cima igual ao de baixo, intestinos limpos significam cérebro limpo. Já reparou como os intestinos e o cérebro são parecidos, ambos com jeito de uma tripa longa e cheia de voltinhas? Semelhança que, como se vê, não é mera coincidência. E os santos, mais do que ninguém, sabiam disso. O jejum fortalecia sua capacidade de transferir energia de um ponto para outro, concentrando ou expandindo a matéria e lhes dando assim o poder de cura que tanto irritava os fariseus. Um velho ditado alemão diz: o que o jejum não cura, nada cura. Outro: se não curar acrescentando, diminua.

jejum

Uma digestão pesada perturba a mente. O acúmulo de toxinas, se for por muito tempo, vai nublando a clareza necessária para enxergarmos direito o caminho. Por isso é que é muito mais seguro, em tempos malucos como este que estamos vivendo, jogar na coluna do meio: equilibrar logo a alimentação, que é a base, pra se preocupar menos com o resto.

toxinas x clareza

O calor é yang, então em dias quentes se come mais yin como saladas, legumes no vapor, frutas locais; o frio é yin, então em dias frios se come mais yang como sopa de misso, raízes cozidas ou assadas, arroz de panela de pressão e peixe, que é um yang mais yin porque vive na água e tem sangue frio: pescadinha, linguado, os que tenham escamas e espinha.

yang no yin, yin no yang

É comum a gente acumular excessos de yin no verão por causa dos sucos, das frutas, saladas — sem contar os sanduíches naturais das praias. Aí, quando vai chegando o inverno o corpo quer se contrair para reter calor, então faz um movimento de expulsar as sobras de líquido e muco. É a gripe, essa bênção que nos limpa.

2 gripes anuais

Outra gripe pode acontecer no período oposto, de primavera-verão, quando a gente começa bruscamente a ingerir mais líquidos, saladas e frutas. O corpo, yanguizado pelo frio, reage eliminando o que se está comendo agora e mais o que se acumulou no inverno. E viva a gripe. Se o sangue está forte, nada a temer, a não ser que o céu nos caia na cabeça (à moda gaulesa).

Em qualquer situação, principalmente viajando, o que interessa é entender as circunstâncias e responder à altura. Se você de repente vai com seu filho para um lugar frio aumente a dose de sal, óleo de gergelim, castanhas, sementes, raízes, cereais e misso; chá só mesmo com sede, durma até mais tarde, ande a pé, desenvolva um trabalho. Isso yanguiza. Se, ao contrário, vocês forem de repente de um lugar frio para outro muito quente, tome suco de aipo e de cenoura, sopas rápidas e frias, legumes ligeiramente refogados, refresco de umeboshi, banchá com gotas de limão; coma muita salsa, muitos verdes — experimente

viajando

no frio: mais yang

no calor: mais yin

mastigar bem uma folha de alface para ver como ela mata a sede e refresca a boca: deixe sempre os verdes para o final da refeição; evite pães, bolos, frituras, salgados; acorde mais cedo, tome mais banhos. Tudo isso yiniza. Evitando os extremos a transição será suave.

sacar o clima

E, além do mais, vivermos em harmonia com o clima — fresquinhos no verão, aquecidos no inverno — já é meio caminho andado pra tudo dar mais certo.

Zero: partiu o espermatozóide em direção ao óvulo, atenção, vai chegar, chegou, vai entrar, entrooou! Goooool! Virou um oooovo!

desenvolvimento do feto

Aos 7 dias ele está implantado no útero e começa a receber alimentos, mais 21 e já ocorre a formação dos sistemas de respiração, digestão, circulação e nervos, mais 63 e esses sistemas se desenvolvem, formam-se as glândulas e os órgãos, define-se o sexo, e depois de mais 189 dias de crescimento, somando 280 no total, nasce a maravilhosa criaturinha que você estava esperando. O óvulo fertilizado cresceu 3 bilhões de vezes, ou seja, mais de 10 milhões de vezes por de gestação.

nasceu?

Claro que você, que não é boba nem nada, se alimentou direito durante esse tempo todo. Continue assim agora que tudo vai correr bem.

colostro

Ao contrário do que se afirmou na letra Q deste livro, a primeira coisa que entra na boca do bebê depois do bico do seio da mãe não é doce: é o colostro, que além de não ser doce não é gorduroso. Yanguiza, imuniza, fortalece a criança. Mas também, é uma vez só.

gases

leite pouco

artemísia: não

A segunda coisa, que é o seu leite, depende muito do que você come. Se o bebê ficar com gases corte o feijão, as farinhas e tudo quanto possa produzir fermentação, inclusive brócolis, couve-flor e folhas mais cheias de celulose como o repolho e os talos da acelga. Se está achando que o seu leite é pouco diminua o sal, aumente as sopas, tome um chá 15 minutos antes da mamada — artemísia não, que amarga o leite e aliás é abortivo, faz desce menstruação atrasada — mas não se esqueça de que suas funções biológicas sabem melhor do que você ajustar-se ao seu bebê: deixe-o sugar bastante que o leite aumenta.

leite empedrado

Se o leite empedrar pode ser porque você está comendo demais ou não está amamentando o suficiente. Lembre-se de que criança não conhece horário, demora um pouco até se ajustar; no começo é normal solicitar o peito mais vezes, mamando menos de cada vez. De qualquer modo, esprema o excesso de leite com a mão ou com a bombinha enquanto aplica uma compressa quente e diminua ao máximo a sua quantidade de comida.

bico do seio

Se o bico do seio rachar exponha-o ao sol e passe seu próprio leite ou óleo de copaíba. Não use sabonete ou álcool em hipótese alguma, nem sutiãs e blusas que não sejam de algodão: as fibras naturais são importantíssimas para a recuperação da pele. As artificiais não deixam a pele respirar nem a energiar passar.

roupas de algodão

E a roupinha do bebê? É frouxinha, confortável, de algodão? O algodão natural conserva o calor do corpo e não impede a energia de passar, como acontece com os tecidos sintéticos.

chupeta?

Chupeta? Mas já? Oferecendo assim ao bebê, sem mais nem menos, sua primeira ilusão mundana? Na primeira vez em que o bebezinho chora muito a gente logo se apavora. Se você não entende o que está acontecendo e ele não pára de chorar, antes de oferecer a chupeta ofereça o seio. Ele é de verdade, ela é de mentira. Seu filhote pode estar apenas precisando de um calorzinho com você.

calor de mãe

colo

— Ah, mas assim ele fica viciado em colo!

Fica? Será? Só se ele chorar muito e você tiver que pegá-lo muitas vezes no colo. E aí, por que será que ele está chorando tanto?

gritinhos

Agora, não confunda grito com choro. O bebê, quando dá gritinhos, está começando a usar a sua aparelhagem de som: grita, ouve, se emociona, grita de novo. E, acostumado com as conversas em volta, ele quer resposta! Se está gritando sozinho e vai ficando ansioso, deve se porque ninguém está respondendo. Aí chora. E aí é que você vai e pega no colo, repetindo o gesto toda vez que ele grita, grita e chora — aparentemente sem motivo nenhum. Mas, visto que ele tem lá as razões dele, converse muito com o seu bebê, principalmente quando ele puxar assunto. Pequeno ou grande, é um ser como você. Não aprendeu ainda a articular todas as suas possibilidades de ação mas sente e percebe exatamente como você. Não vai ficar calmo se você estiver irritada. Seu bebê, principalmente até o desmame, é o seu parceiro; vocês dois, e só vocês dois, fazem parte do mesmo universo. Trate dele como quer que ele trate de você. E se ele definitivamente está a fim de colo, por que não usar um daqueles baby-bags e deixar que ele saia descobrindo o mundo com você? baby-bag

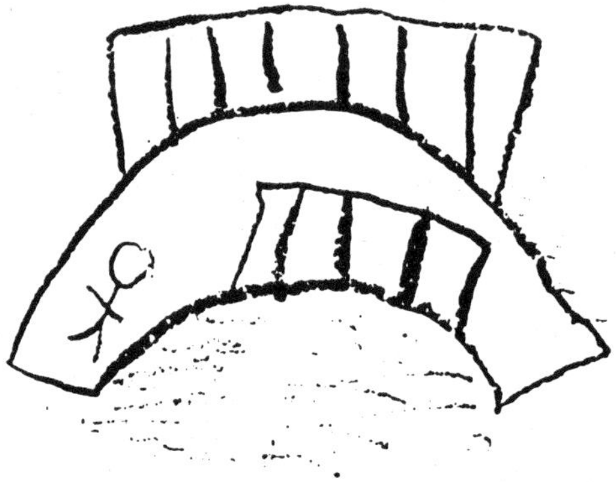

Esta é a informação. A prática fica por conta de uma coisa preciosíssima que você tem e que se chama intuição.

Aquele espermatozóide que encontrou aquele óvulo se transformou num novo habitante do planeta. Vai crescer sujeito a todas as influências da rua, da tv, da escola, do governo, vai virar adolescente antes do que você pensa e viver conflitos, sair deles para entrar em sonhos e projetos, frustrar-se mil vezes, realizar-se mil vezes.

E você, mãe e não dona, vai sentindo que o cordão umbilical na verdade se corta aos poucos. Mas se corta.

Um dia o seu filhote, já com 12 anos, chega em casa querendo bife e refrigerante; outro dia quer dar um festinha para os amigos que não comem comida integral; de repente já está fumando escondido.

Que fazer? Conversar, ser amiga. Compreender o ponto de vista do outro, mesmo não concordando, e expor o seu. Aceitar que a verdade tem mil faces.

A arte é um desequilíbrio yin — e graças a ela temos música, dança, cinema, teatro, pintura, escultura, tv, poesia.

A ciência é um desequilíbrio yang — indispensável para a organização do conhecimento.

Você amamentou, alimentou, criou.

O resto? A vida faz.

papo prático

mamadeira?

Sabe que em muitos lugares do mundo o primeiro alimento depois do leite é bem mastigado pela mãe e posto na boca do bebê? Só que quando ele mesmo produz a saliva é bem melhor, e a gente ajuda isso dando uma colheradinha pequena de cada vez. Ah, sim, porque é de colher em colher que ele aprende a comer. Mamadeira? É lógico que não, você jamais ia querer que seu filhote confundisse bico de seio com horta, não é mesmo? E é claro que ele às vezes vai dar chutes na sua mão, virar o pratinho, quase sempre se sujar todo, fazer brr e cuspir a papa todinha na sua cara, mas você fazia a mesma coisa com a sua mãe, portanto...

desmame

No período do desmame lembre-se de não cozinhar na pressão, não pôr sal, acrescentar sempre 1 colher de sumo de salsa fresca na papinha.

A substituição da mamada começa com o leite de cereais, o creme de cereais e as papinhas de legumes (veja nas páginas 13 e 27). Aos 9 meses a refeição já pode ser completa — uma sopa de legumes com flocos de cereais cozidos durante quarenta minutos, uma papa de cereais integrais (arroz, principalmente), uma boa colher de feijão com pouco tempero, verdura cozidinha no vapor e cortada miudinho.

O jantar pode ser semelhante ao almoço, mas sem o feijão.

Bebês sentem mais fome de manhã, então um mingau de cereais cai bem. No lanche da tarde podem tomar leite de arroz ou aveia batido com uma fruta, ou uma gelatina rala feita com ágar-ágar (gelatina de algas) e suco de fruta cozida em pouca água. No verão, sumos de vegetais caem muito bem!

Os dentinhos que nascem costumam coçar muito, então faça um bastão de pão durinho assim: farinha integral e água, amasse até não grudar nas mãos, enrole na grossura de um dedo, asse 20 a 30 minutos em forno médio e deixe o bebê se coçar à vontade (dica da Carla Saboya). Ah — muitas vezes o bebê tem febre por causa dos novos dentes, as gengivas incham e ele não quer comer. Tudo bem, dê só o peito. Ele merece! *dentes coçando*

Entre um ano e meio e dois anos o bebê já está comendo as mesmas comidas que você come, e nessa hora preste toda a atenção ao sal. Ele só deve comer 1/3 do sal que você come. Os sintomas de sal demais são irritação, sono difícil ou mais curto, cocô mais duro e escuro. Então, faça o seguinte: ponha sal somente nas panelas de arroz e feijão, o resto deixe cozinhar puro para o filhote comer. E acrescente shoyu, gersal ou molho de misso no seu próprio prato se desejar. *pouco sal*

A essa altura a criança já está fazendo cinco refeições — desjejum, lanche, almoço, lanche, jantar. Quer sugestões?

desjejum

menu

Creme de arroz, mingau de aveia com tofu e stévia, pão integral com pasta de cenoura ou abóbora, caldinho de legumes com pão integral, bolinhos de arroz macio, bolinhos de triguilho, pão integral com pasta de tofu e algas. Os mingaus podem ser adoçados também com melado ou com a água em que você deixou passinhas de molho. Mas pense duas vezes antes de acostumar o filhote a só comer doces de manhã.

lanche

No verão uma fruta de estação, no inverno bolinhos ou sanduíche de pão integral.

almoço

Arroz integral bem macio, puro ou cozido com grãos de milho verde, no inverno com grãos de trigo ou painço: cevadinha cozida com ou como arroz; mingau de aveia misturado ao refogado de legumes; uma destas opções, envolvendo 40 a 50% de cereais, é fundamental.

Feijões: são a grande fonte vegetal de proteínas, não podem faltar. Varie a qualidade todos os dias, substitua por tofu ou carne de glúten duas vezes por semana, por um pedacinho de peixe de carne branca de vez em quando.

Vegetais frescos: use sempre uma raiz, um legume, uma ou duas verduras de folha e bastante salsa. Cozinhe de várias maneiras, no vapor, refogando, aferventando, juntos ou separados, sendo que a verdura cozida não deve passar do ponto em que fica verde brilhante.

Acrescente ao prato eventualmente uma farofa, ou um bolinho, ou inhame frito feito batata, ou batata-doce cozida e frita, ou palitinhos de cenoura crua, coisinhas gostosas e pegáveis que dão um prazer extra à refeição. Sobremesa: fruta cozida, gelatina de algas com frutas, ou nada.

lanche

Pão integral com pasta, arroz-doce, panqueca de legumes com tofu ou de frutas cozidas, leite de arroz batido com fruta cozida, bolinhos, mingau de aveia ou de arroz com stévia e canela.

jantar

Sopa de misso (menos misso no calor, mais no frio) feita com legumes, macarrãozinho integral de letrinhas ou argolinhas, que as crianças adoram, e se possível algas; cereal de panela ou em bolinhos; legumes, folhas verdes, bastante salsa; e de sobremesa, frutas cozidas, pão doce; e sempre 3 horas antes de ir dormir, para a barriguinha não ficar pesada.

chás para uso diário

Banchá, dente-de-leão, erva-cidreira, banchá com erva-doce, chá de raiz de lótus (para limpar o muco).

detalhes

A criança nasce pequenina e encolhida, yang, e para crescer precisa de alimentos yin, expansivos, de boa qualidade. Por isso se reforça a quantidade de verduras de folha e de legumes doces e também a maneira leve de cozinhar, ou seja, mais com água e vapor do que com óleo. Todas as frituras e todos os assados são mais yang, contrativos. Cuidado especialmente com os farináceos assados, que as crianças adoram e exageram. A alga kombu deixada de molho e cozida com o feijão ajuda a digerir; as verduras aferventadas também são de digestão mais fácil. Bertalha e espinafre são folhas ácidas, às vezes dão assaduras e soltam os intestinos. E juízo com os temperos! Eles devem ser introduzidos aos poucos e conforme a natureza da criança.

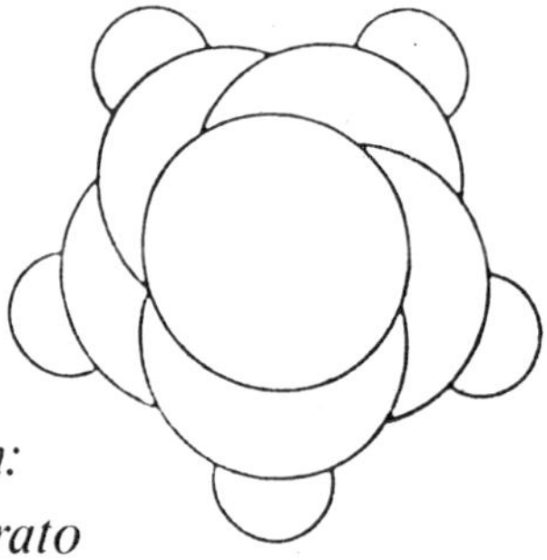

então,

o equilíbrio da refeição ficou assim:
um ou mais cereais, até 50% do prato
um tipo de feijão ou outra proteína
um tipo de raiz
um tipo de legume
um tipo de folha
um complemento tipo farofa ou bolinho
uma sopinha de misso (mais no inverno, menos no verão)
uma sobremesa (mais no verão, menos no inverno).

lista de compras

cereais

arroz
aveia
trigo
milho
cevada
cevadinha
centeio
painço
sorgo
trigo-sarraceno
e suas farinhas,
flocos e macarrões

raízes

raiz-de-lótus
(fresca ou seca)
bardana
cenoura
mandioquinha
(batata-baroa)
rabanete comprido
rabanete
nabo comprido
nabo redondo
raiz de aipo
cará
inhame
beterraba
aipim
batata-doce

da soja

tofu (queijo)
tempê
maionese de tofu
misso (massa)
shoyu (molho)

feijões

azuki
roxinho
mulatinho
fradinho
grão-de-bico
lentilha
preto
vermelho
manteiga
enxofre
branco
de corda
verde
ervilha
guando

legumes

abóbora
abobrinha
chuchu
maxixe
jiló
cogumelos
pepino
cará-moela
quiabo

oleaginosas

amendoim
gergelim
castanha-de-caju
castanha-de-pará
nozes
avelãs
amêndoas
sementes de abóbora
sementes de girassol
coco seco

folhas

couve chinesa
(acelga)
acelga brasileira
escarola
chicória
mostarda
nabiça
alface crespa
couve
bertalha
espinafre
alho-porró
aipo (salsão)
funcho (erva-doce)
couve-flor
brócolis
repolho
catalunha
serralha
caruru
taioba
folhas de nabo
folhas de cenoura
brotos de alfafa
brotos de feijão

algas

kombu
nori
hijiki
arame
wakame
ágar-ágar em pó
kanten em barra

temperos

cebola
alho
gengibre
salsa
cebolinha
manjericão
hortelã
coentro

óleos

de gergelim (especial)
de milho (para cozinhar)
de soja (para fritar)
de oliva (para usar cru)

cremes

de amendoim
de gergelim (tahine)
de girassol

salgados

sal marinho moído
shoyu
misso
ameixa umeboshi
picles

frutas

na estação:
lima-da-pérsia
laranja-lima
melancia
melão
morangos
goiaba
mamão amarelo
banana-maçã
banana-prata
banana-da-terra
banana-d'água

doces

stévia
melado
mel
malte
rapadura
banana-passa
passas brancas
passas pretas
ameixas pretas
damascos
tâmaras
carambola seca
caqui seco

Procure fazer suas compras nas boas lojas japonesas ou naturais, de preferência as mais simples, que são mais baratas.
Cuidado com os produtos naturais nos supermercados: os preços em geral são três vezes mais caros, e o arroz cheio de conservante.

cereais

São sempre a primeira coisa em que você pensa. Procure ter em casa um pequeno estoque deles (veja a Lista de Compras) para poder variar bastante.

cereais macios *papa* *creme*

Existem mil e uma formas de preparar: cozinhando os grãos com 2,5 partes de água somente até ficarem macios, ou pondo mais água e deixando virarem papa; peneirando para obter um creme; triturando os grãos crus no moinho de cereais ou no liquidificador e cozinhando, assando, fritando.

Arroz, aveia, trigo, milho, cevada, centeio, painço, sarraceno, sorgo: experimente todos pra ficar conhecendo as diferenças.

A aveia em grão, por exemplo, tem um algo mais que a aveia em flocos não tem. A cevadinha é um prato fresquinho no verão e cremosíssimo nas sopas que cozinham bastante. O milho verde, ralado e espremido num pano ou batido no liquidificador e peneirado, também dá cremosidades fantásticas. Arroz bem cozido com 20% de trigo em grão ou milho verde fica uma delícia para os olhos e para os dedinhos. Já reparou como criança se liga em coisinhas pequenininhas no meio das outras? Arroz bem cozido com 10% de feijão azuki e pedacinhos de abóbora japonesa também faz o maior sucesso com criança, porque é doce.

40 a 50% de cereais é o que recomendam os especialistas; você pode modificar isso conforme as circunstâncias, diminuindo a quantidade no verão e aumentando no inverno.

romanos & vietcongues

Os cereais sempre foram a alimentação básica da humanidade. Os soldados romanos, que eram fortíssimos, tinham como ração diária um quilo de trigo e um pouco de sal; as ervas e raízes eles colhiam pelo caminho, e de vez em quando caçavam ou abatiam uma rês, ou uma ave, ou pescavam. Os nômades do deserto se alimentavam de pão de trigo fermentado naturalmente, de queijo e de tâmaras; lá uma vez ou outra se davam ao luxo de sacrificar um animal. Em todo o Oriente, a alimentação básica sempre foi o arroz — inclusive na guerra que os vietcongues ganharam, para desespero dos açucarados e industrializados norte-americanos com napalm e tudo. Com a farinha dos cereais você faz pães, broas, panquecas, pastéis, empadas, biscoitos, mas é bom que seja uma farinha fresquíssima, pois em 18 horas de contato com o ar ela já oxida e perde muito valor. Que fazer? Moinho de cereais é uma, custa barato e só gasta energia humana. Parece com máquina de moer carne, e as crianças mais velhas podem ajudar. Liqüidificador também é uma, digamos, média: porque a energia elétrica interfere um bocado na energia do alimento. Mas é um jeito. Se for comprar a farinha pronta, prefira as que são moídas em moinho d'água, ou pedra, porque as outras passam por processos elétricos que esquentam e já torram muito do amido da farinha. Um lembrete: farinhas viram cola em contato com a água, fora e dentro do corpo da gente. Trocando em miúdos, muco. E às vezes fermentam também, no estômago (principalmente vazio) e nos intestinos. *farinhas*

Da farinha de trigo você tira o glúten, que é sua proteína, uma massa bem liguenta, aglutinada. Da ótimos bifes, picadinhos, recheios de sanduíche. Amasse como se fosse para fazer pão; sove sem dó durante uns 30 minutos, ponha numa tigela com água morna e deixe descansar uma hora. Aí pegue outra vasilha e encha de água quente. Comece a lavar a bola de massa ora na água fria ora na água quente e veja como vão saindo o amido e o farelo que estavam grudados. A bola vai diminuindo e ficando só fibra, grudenta, até não sair mais nada. Bem. Guarde o farelo e o amido que pousou no fundo para usar em sopas, cremes, pães, certo? Agora, tem que cozinhar. Tempere com gengibre, alho socado, cheiro-verde, o que desejar. Cubra com uma mistura meio a meio de água e shoyu e deixe ferver, mantendo depois o fogo baixo e a panela tampada quase até secar. Pronto! Deu trabalho, mas console-se pensando que no mercado custa 4 a 5 dólares o quilo (a gente hoje *glúten* *carne de glúten (seitan)* tem que falar em dólares, né?). Agora você corta como quiser e come à vontade, que é muito bom. Altas proteínas.

pão integral

fermento natural

Faça pão fermentado naturalmente. Qualquer cereal que azedou, inclusive o arroz de todo dia, fermenta. Se for partir da farinha faça assim: misture 40% da farinha que você vai usar com um tanto de água de forma que fique papa. Deixe num lugarzinho morno e escuro, tipo forno, coberto por um paninho, durante 12 a 24 horas; está bom quando faz bolhas. Aí ponha o resto da farinha, uma colherinha de sal, uma de óleo e amasse, quanto mais melhor. Unte uma fôrma com óleo de milho ou gergelim, ponha a massa e deixe crescer umas 6 horas. Aqueça o forno, ponha o pão e asse em forno alto durante uma hora mais ou menos, dependendo do seu forno. Faça o teste da palmadinha: ao tirar o pão, dê uma palmadinha na parte de baixo dele. Se soar oco, tá no ponto.

Guarde um pouco da massa crua para usar no pão do dia seguinte, ela é o fermento. Esse fermento tem enzimas vitais para a nutrição da gente, produz vitamina B12, faz o pão de que a Bíblia fala — o pão nosso de cada dia.

pão doce

Recheie com frutas secas, nozes ou castanhas antes de pôr pra crescer; depois de crescido, não se mexe mais.

macarrão

O macarrão também é farinha de cereais, amassada até ativar o glúten, cortada em tirinhas e cozida antes de fermentar. Existem macarrões integrais interessantes no mercado, uns mais integrais, outros menos. Uma marca que vem se firmando pela qualidade é a Macrobrasil, dirigida por um pessoal macrô que leva a coisa a sério. Prepare exatamente como os outros macarrões: água fervendo, sal, gotas de óleo para não grudar. Quando levantar fervura, jogue um copo de água fria. Repita a manobra mais 6 vezes e o macarrão estará no ponto.

panquecas

Panquecas, você sabe: massa mole de farinha, água, sal e óleo. Frigideira quente untada; paciência pra tentar até acertar.

Massa para pastéis, empadas, empadões: também é farinha, água, óleo e sal, só que mais óleo e menos água do que na panqueca, e você conhece o ponto da massa quando estica com o pau de macarrão e ela fica bem fininha, ligada. *pastéis empadas*

Com farinha também se faz pirão! Coisa mais brasileira, mais boa de se comer. Digamos num cozido, por exemplo: você refoga bem gostosinho um monte de legumes variados, com alho e cebola e cheiro-verde e shoyu, põe água pra cozinhar, tira os legumes quando ainda estiverem brilhantes e usa o caldo pra fazer pirão. Que tal farinha de arroz? Faça ali na hora, tostando os grãos numa panela e batendo no liqüidificador, um pouco de cada vez, até obter farinha. Vá adicionando devagar a farinha ao caldo, mexendo sempre pra não encaroçar; olha que engrossa bem. Deixe cozinhar bastante pra não ficar indigesto. Experimente também com fubá, aveia, farinha de trigo-sarraceno. *pirão*

Outra coisa que se faz com farinha é cuscuz, aquele de cuscuzeiro, cozido no vapor, que no Norte e no Nordeste não se dispensa no café e no lanche e que é feito com farinha de milho ou de arroz. Molha-se a farinha, com água, chá, chá de stévia, leite de grãos ou leite de coco, até obter uma farofa úmida. Põe-se na cuscuzeira (olha a água embaixo, 2 ou 3 dedos chegam), tampa-se e pronto: 30 minutos depois está comível o cuscuz, ou está amarela a folha de couve que você pôs em cima à moda do interior. *cuscuz*

Faça também pão de grãos: deixe de molho uma parte de trigo e uma parte de arroz, separadamente, durante uns 2 dias. Vai fermentar e começar a brotar. Use a água nas sopas, moa os grãos macios no moinho ou no liqüidificador, complete com aveia em flocos até a massa dar ponto, ponha uma pitada de sal. Fôrma untada, forno durante 1 hora. *pão de grãos*

E farofas? Além da farinha de mandioca, faça também com aveia em flocos, farinha de milho flocada, farinha de arroz, germe de trigo. Com este, vá devagar: não é integral, uma vez que se retirou do trigo a parte que germina, e é quente para os intestinos. Mas as crianças adoram. *farofas*

bolinhos

Faça bolinhos com os grãos cozidos, simplesmente cozinhando mais um pouco com água até ficarem bem macios e apertando entre as mãos molhadas para dar forma. Asse ligeiramente no forno, só para firmarem. Se quiser, tempere antes com cheiro-verde e cebola, ou recheie com legumes cozidos. Para levar arroz em viagens longas e impedir que ele azede, faça bolinhos e ponha uma ameixa salgada no centro antes de assar. Duram mais de uma semana, mais ainda se você os envolver em folhas de artemísia ou de alga nori.

bolinhos com umeboshi

feijões

Do feijão azuki, que é pequenino e vermelho-escuro, ao feijão branco, que é enorme e clarinho, é infinita a variedade de feijões brasileiros. Quanto menores, mais concentrados e fáceis de digerir; quanto maiores, mais pesados. O feijão preto é especialista em dar gases, fermenta muito. Azuki, lentilha, grão-de-bico, feijão-fradinho, roxinho e mulatinho são a prata da casa. Varie sempre, não repetindo a mesma qualidade mais de uma vez por semana.

como preparar

Prepare todos da mesma forma: deixando de molho na véspera, cozinhando em panela grossa ou de pressão já com os temperos (alho, cebola, cebolinha verde, gengibre) ou refogando depois que os grãos estiverem cozidos. O segredo de qualquer feijão é o sal: nem pouco, nem muito, e só se coloca no final para que ele não endureça os grãos.

Quando for usar feijão-preto, jogue fora a água da primeira fervura para diminuir a possibilidade de gases.

Sirva com mais caldo quando tiver farofa, mais seco quando o tempo estiver frio.

bolinho de fradinho

Moa o feijão-fradinho cozido, tempere à moda baiana com bastante cebola ralada, alho ou gengibre, sal e folhinhas verdes e frite como um acarajé. Sem dendê, por enquanto.

feijões com cereais

Combine sempre feijão com cereais para aumentar o teor de proteínas disponíveis. E quando usar tofu (queijo de soja), ou outro alimento protéico, não use feijões; a mesma coisa quando usar leguminosas frescas como as vagens, as ervilhas, os feijões verdes como o guando. Proteínas diferentes dão muito trabalho ao estômago, lembra?

proteínas não se misturam

raízes

São elas que nos dão profundidade e concentração. Cenoura, mandioquinha (baroa), cará, bardana, nabo, inhame, rabanete, raiz-de-lótus. Aipim e batata-doce são mais para o paladar, têm menos nutrientes; beterraba pode causar acidez; os outros, use à vontade. Bardana é uma raiz silvestre abundante mas pouco conhecida entre nós. Fina, marrom, comprida, geralmente tem mais de 30 cm de comprimento e é um grande fortificante.

raiz-de-lótus

bardana

Um dia você cozinha as raízes inteiras, ou em pedaços grandes, para a mesa ficar com cara de horta; no outro, corta tudo miudinho — em palitinhos, cubos, lascas, fatias diagonais.

A raiz-de-lótus, além de ser medicinal, é deliciosa se for fresquinha (nas lojas japonesas) e você cortar em fatias diagonais fininhas, mergulhar numa papa rala de farinha, água, shoyu e gengibre e fritar em óleo bem quente. É a tempura dos japoneses, que serve também para preparar todos os outros legumes e verduras que você imaginar. Mas olho: frituras acumulam gorduras. Assim, além de escorrer em papel absorvente, sirva junto uma salada de nabo ralado temperado com limão e shoyu. Ajuda a dissolver as gorduras.

nabo ralado com shoyu

Cebola também é raiz! Bem cozida fica muito doce, principalmente se for pequenina e utilizada inteira.

No frio cozinhe as raízes na pressão ou refogue, no calor deixe apenas 15 minutos no vapor da cuscuzeira: o sabor fica especial. Use sempre uma raiz na refeição, duas até se quiser um cardápio mais quente: cenoura com bardana, mandioquinha (baroa) com cebola, cebola com rabanete ou nabo. Faça maionese de cará cortado em cubinhos, misture com vagem cortadinha, tempere com molho de cenoura feito assim: bata no liqüidificador umas cenouras cozidas

sempre uma raiz

maionese de cenoura

com um pouco de água, um pouquinho de azeite, sal e limão. Se fica bom? Pergunte às crianças.

legumes

Estamos falando do que não é raiz nem folha: abóbora, abobrinha, cogumelos, chuchu, pepino, maxixe, jiló, aspargos, palmito, berinjela, pimentão, tomate, coisas assim. Estes últimos — berinjela, pimentão e tomate — são altamente formadores de acidez; o palmito fresco tem seus encantos, embora não passe de celulose; os outros são a festa do paladar. Abobrinha, por exemplo, cozida no vapor em fatias diagonais largas, fica muito doce e refrescante. As abóboras redondas, especialmente a japonesa (de casca verde), também têm esse ar doce, saboroso. Cogumelos são boa fonte de proteínas, pena que tão cara. Chuchu, que muita gente pensa só ter água, é um grande estabilizador da pressão para os hipertensos, ralado, espremido e tomado de manhã em jejum. Mas, como nossos bebês e crianças felizmente não são hipertensos, o chuchu entra mesmo é nas papinhas, ou cozido no vapor e temperado como salada, excelente para refrescar os intestinos e a boca.

não descasque!

Não precisa descascar nada! Nem as raízes, com exceção do cará e do inhame. A película protetora que chamamos de casca na verdade está cheia de nutrientes. Mesmo o chuchu, se estiver novinho, deve ser comido com casca.

sempre um legume

jardineira

A refeição boa tem sempre um tipo de legume, às vezes dois se estiver calor. A jardineira é tradicional na mesa brasileira — cenoura, chuchu e vagem combinados num mesmo prato, refogados, fervidos, no vapor ou em salada; acrescente brócolis ou couve-flor, bastante salsinha picada e alguma verdura de folha para ter uma jardineira substancial.

folhas

clorofila

Elas são vitais: suas fibras ajudam o movimento dos intestinos, têm minerais e vitaminas de montão e as verde-escuras ainda fornecem a preciosa clorofila, que limpa e renova o sangue.

Acelga, agrião, chicória, mostarda, couve chinesa, repolho, couve, taioba, caruru, bertalha, espinafre, almeirão, rúcula, escarola, catalunha, dente-de-leão, folhas da cenoura e do nabo, são tantas!

Faça cruas, como salada, refogadas, ou cozidas no vapor até ficarem brilhantes; se passarem do ponto escurecem e perdem qualidades. Afervente as mais amargas ou picantes durante 2 ou 3 minutos com 1 pitada de sal e esprema antes de servir: agrião, mostarda, chicória e cebolinha ficam ótimas feitas assim. Mergulhe na papa de farinha e água e frite como tempura, ficam crocantes.

Aipo (salsão) e alho-porró são verduras especiais por suas características físicas — talos fortes no aipo, raiz fora da terra no alho-porró — e também porque desintoxicam o sangue. Sirva o aipo cru nas saladas, faça sopas com ele e com o alho-porró aproveitando sempre tudo o que puder, tanto as partes brancas quanto as verdes.

Salsa, cebolinha, hortelã, manjericão, coentro são as folhas verdes miúdas que você pode usar em tudo. Experimente fazer um purê de abóbora temperado com manjericão; use cebolinha picada nas cumbucas de sopa; ponha hortelã na salada. Uma parenta próxima da cebolinha e do alho-porró é a nirá, ou alho-do-ano-todo, que além de ser gostosíssima cozida ou refogada ainda serve pra salvar criança de apuros. Assim: engoliu algo que não devia, digamos, a chave da porta de casa. Meu Deus! Ninguém entra nem sai, e ela ainda é capaz de ficar machucada por dentro! Será? Cozinhe a nirá ligeiramente no vapor e dê para a criança engolir sem mastigar. Pois não é que a danadinha da nirá vai lá, se enrola toda na chave e a leva com segurança pelo intestino para o lado de fora?

criança engoliu!

Verdura na cidade se compra, no mato se cata. É outro sabor o das folhas silvestres como a serralha e a beldroega, o caruru-do-mato (rapa-tacho), a taioba, o dente-de-leão: mais forte, às vezes até travando. Mas a energia é outra também, e se você tiver chance de provar, não perca.

folhas silvestres

folhas medicinais *Na roça também é comum o cultivo de folhas medicinais como o saião, cujo sumo é um extrato de clorofila, vitaminas e minerais altamente fortificante. Confira.*

lavando as folhas *Para ter certeza de que os ovinhos de vermes das folhas não vão ser comidos, ponha de molho numa vasilha com água e vinagre durante meia hora, depois lave bem.*

saladas prensadas *Faça também saladas prensadas com sal, no frio, assim: polvilhe sal marinho natural sobre as folhas — vale também para rodelas de legumes como o pepino, ou raízes como o rabanete — e ponha um peso em cima, ou amasse entre as mãos até elas soltarem água. Lave para tirar o sal. Ficam menos frias, menos yin.*

brotos

como fazer *São facílimos de fazer, riquíssimos em nutrientes e podem substituir as verduras. Os de feijão moyashi e os de alfafa já se encontram no mercado, você pode tentar em casa com girassol, feijãozinho verde e qualquer semente livre de defensivos químicos. Deixe de molho uma noite, escorra; espalhe num tabuleiro inclinado, ou ponha num vidro grande tampado com gaze, e guarde num lugar escuro. (A inclinação é importante para a água poder escorrer; assim, vire o vidro de boca para baixo e agora incline. Isso.) Uma vez por dia você lava e escorre. Em dois ou três dias os grãos começam a germinar e os brotos vão crescendo. No quinto dia, se achar que já estão de bom tamanho, exponha ao sol para sintetizarem clorofila. Ah, e não se esqueça de catar as casquinhas dos grãos à medida que forem soltando, senão elas apodrecem e contaminam a produção.*

Sirva crus, para que a energia do crescimento passe inteira, e não use limão no tempero: modifica a química natural dos brotos.

sopas

A sopa de misso é hoje internacionalmente conhecida como uma das melhores invenções japonesas antes do rádio de pilha. Misso é soja fermentada e salgada, pura ou com algum cereal. A fermentação acaba com a acidez da soja, o sal mantém suas virtudes, e o resultado é um concentrado de enzimas, proteínas e vitaminas do complexo B que tem propriedades fortificantes e anticancerígenas.

Bebês não devem usar misso, por causa do sal, mas dos 3 anos em diante estão liberados: meia colherinha de café por dia, na sopa, garante os nutrientes, a limpeza dos intestinos e o fortalecimento do sangue. *bebezinhos: não!*

O caldo para a sopa de misso é feito com raízes, legumes e verduras conforme a sua vontade. Entre os japoneses é tradicional deixar algas de molho com peixinhos secos, cozinhar e temperar com misso e cheiro-verde, acrescentando um pouco de macarrão de trigo-sarraceno (soba) já cozido.

Misso dissolvido em água quente e tomado com cheiro-verde picadinho é um grande consomé, restaura rapidamente as energias e em geral agrada gregos e troianos.

Quando misturar vários legumes na sopa, evite bater no liqüidificador ou peneirar; a salivação é importante para uma boa digestão, e se a gente vai logo engolindo não saliva. Melhor deixar os pedaços como pretexto para mastigar. *mastigar pra salivar*

Os cereais que entrarem têm que ser muito bem cozidos, pela mesma razão. E cuidado quando misturar feijões: podem dar gases. Sopas frias são ótimas no verão. Experimente de cebola com baroa (mandioquinha), de cenoura, de abóbora, meramente cozinhando e desmanchando em creme. Sirva sem misso nem shoyu, só uma pitadinha de sal e folhinhas verdes picadas. *sopas frias*

Sopas de raízes, no inverno, também são ótimas. Por exemplo: cozinhe o inhame descascado com um ou dois dentes de alho, depois passe na peneira ou no liqüidificador, devolva ao fogo, quando estiver fervendo junte agrião e apague. Tempere com shoyu ou misso dissolvido no caldo (1 colherinha de chã de misso por pessoa).

gersal

É uma das coisas da macrô que vieram para ficar, inclusive porque o gergelim dá muito no Brasil todo, especialmente em terras fracas para outras plantações. Gersal é gergelim sal marinho *torrado e moído com sal marinho, na proporção de 1 parte de sal para 10 a 14 de gergelim; para crianças, naturalmente, pouco sal, na base de 1 para 20. As sementes você torra na frigideira mexendo sempre. Quando começam a pipocar, esprema algumas entre os dedos e cheire pra ver se estão no ponto. Moa no suribachi, pilão japonês de cerâmica estriada, ou no liqüidificador. Guarde em vidro fechado, use dentro de uma semana que depois fica rançoso. É muito bom em cima do arroz integral, do creme de arroz e de todos os outros cereais; tem altas proteínas, vitaminas, minerais e óleo de ótima qualidade.*

molhos

macarrão e legumes *Então você fez os legumes, ou o macarrão, só cozidinhos; e está achando pobre. Pois faça como os franceses e acrescente um molho. De quê?*

De melancia para o macarrão, por exemplo, à moda da Maria. Refogue bastante cebola cortada em gomos, um dentinho de alho, cenouras cozidas e cortadas em cubinhos, rodelas de alho-porró ou aipo, uma pitada de sal e suco de melancia em quantidade suficiente para o que você quer molhar. Engrosse com araruta, deixe cozinhar uns 15 minutos e sirva. Parece catchup.

Macarrão também combina com bertalha. Cozinhe a folhas no vapor, esprema, bata bem com uma faca grande sobre a tábua de cortar legumes, refogue com azeite, alho e shoyu. Fica muito saboroso.

Misso e creme de gergelim (tahine) em partes iguais, dissolvidos em água, por si mesmos são um bom molho para legumes ou macarrão. Acrescente gotas de gengibre para variar.

Manjericão, alho, nozes e azeite são os ingredientes do fa-

moso macarrão al pesto genovês. Tem que ser tudo bem socado, e na hora, pra ficar gostoso — em cima de um macarrão bem quente.

Maionese de tofu é uma grande pedida para qualquer prato. Bata no liqüidificador com azeite, sumo de limão e salsinha, acrescente cenoura ou abacate ou mandioquinha baroa ou beterrada para dar cor. Leve ao fogo com gelatina de algas se desejar uma mousse bem linda: cubra com ela os legumes postos numa vasilha e deixe gelar.

algas

São o melhor suplemento de minerais com que você pode contar; também fornecem o precioso iodo para a tireóide, fazem bem para os intestinos, para os cabelos e para a pele.

minerais

iodo

A regra básica é deixar de molho, aproveitando depois a água no cozimento, e temperar com cebola, shoyu, limão. Se o sabor agradar às crianças, misture nos refogados e sopas; ponha um bom pedaço no feijão quando deixar de molho, ajuda a amaciar os grãos e provê um cozimento mais rápido. A alga nori, que vem em folhas, serve para fazer rolinhos de arroz ou outro recheio, como macarrão, da seguinte maneira: compre na lojinha japonesa uma esteirinha própria para enrolar "sushi" ou "norimaki", que é como se chamam esses rolinhos em japonês. Comprou? Agora faça o seguinte: segure a folha de nori em cima da chama do fogão, deixando-a tostar levemente. Ela encolhe um pouco e muda de cor. Coloque-a sobre a esteirinha e ocupe sua parte central com o recheio de arroz ou macarrão com verduras e gersal; enrole com a ajuda da esteirinha, como se fosse um rocambole, e molhe com água a ponta final da nori para ela colar, como se fosse um cigarro. Agora pegue uma faca grande, molhe a lâmina e corte o rolo em rodelas de 1 a 2 cm, sempre com a lâmina limpa e molhada. É genial para lanches e piqueniques.

rolinhos de alga nori

Ah: nori também agrada muito se você tostar e esfarelar em cima da comida, ou misturar com o gersal. Sabia que já existe alga nori nacional?

sobremesas

frutas cozidas

compota creme

Sobretudo frutas cozidas com um pouco de misso ou sal, que ficam muito doces e não fazem nenhum mal. Sério. O sal puxa o sabor doce das coisas. Mas tem que ser fruta madura, panela grossa e sal marinho natural, ou misso de boa qualidade. Tente com bananas de qualquer tipo, maçãs, goiabas, abacaxi (só no alto verão, e observe se não causa muita acidez), melancia, mamão, caqui, pêssegos, o que for da época e estiver bem doce e barato: vai se surpreender. Ponha só um dedinho d'água no fundo para não grudar no começo, pois as frutas vão soltar seu próprio caldo e isso é o que dá a graça. Assim, com 15 minutos na pressão e de 15 a 30 em panela comum, grossa, você tem uma compota; deixando mais tempo ela vira um creme e o sabor doce se concentra. Junte araruta ou gelatina de algas se quiser mais consistência.

maçã assada

Já leu Sem Açúcar, Com Afeto, desta humilde escriba que lhe fala? Pois lá tem 75 receitas de doces sem açúcar. E o Prato Feito, idem idem, já leu? Tem mais um monte de receitas de doces e não sei quantas de salgados. Uma receita de maçã assada que não tem em nenhum dos dois: pegue a maçã, lave bem, tire cuidadosamente o miolo para não furar o fundo, recheie com passas, castanhas ou nozes picadas, uma colherinha de café de creme de gergelim (tahine) ou de girassol, meia colherinha de misso dissolvido em água; asse até a maçã murchar, à moda da Rita Toledo. É inenarrável.

canjica de arroz

Outra receita inédita: faça um chá de stévia (que é uma folhinha verde 300 vezes mais doce que o açúcar e não faz mal) na base de uma colher de sopa da folha triturada para um litro de água. Cozinhe com paus de canela e arroz integral, na base de uma parte de arroz para quatro de chá, até ele ficar molinho e aguado, meio desmanchando. Para os bebês sirva puro; para os maiores junto o leite de um coco fresco ralado e espremido. Como está é uma canjica daquelas pra ninguém botar defeito. Agora, se você penei-

rar esse arroz-doce e levar ao fogo com gelatina de algas (ágar-ágar ou kanten) e puser na geladeira, fica um manjar branco. Com direito a calda de ameixas e tudo. Vá fundo que é sucesso. *manjar branco*

Bolos? Experimente usar farinha integral em vez de branca, fermento de padaria em vez de pó químico, chá de stévia em vez de leite e açúcar, creme de gergelim ou girassol em vez de manteiga. Só não se iluda: nunca ficam tão fofos quanto os de farinha branca, ovo, manteiga e açúcar, porque a farinha de trigo integral é mais pesada. Ah: troque 1 ovo por 2 colheres de tofu, e misture a farinha integral com farinha de trigo-sarraceno. *bolos*

Use e abuse das gelatinas de algas misturadas com frutas cozidas. São nutritivas, excelentes para os intestinos e uma festa para a boca. *gelatinas*

Se estiver no verão, e a moçadinha quiser mais líquidos, faça chás refrescantes com hortelã, anis, erva-doce, manjericão: em casa evite os sucos ao máximo já que na rua são mais ou menos inevitáveis e têm o seu lugar. Mas uma centrífuga abre a possibilidade de fantásticos sumos de cenoura, que são docinhos e muito frescos, misturados ou não com aipo ou laranja-lima. Melancia, com uma pitada de sal, fica ainda mais doce e equilibrada, dá um grande suco; tire as sementes e bata no liqüidificador. Lima-da-pérsia é uma fruta mais amarga do que ácida, limpa o fígado e os rins. Banchá com um pouquinho de umeboshi diluída mata a sede, sumo de aipo também. Mas a água pura da fonte sempre foi, é e será a grande pedida, em todas as idades. *refrescos* *sumos*

Não se esqueça de que pode bater o leite de arroz com qualquer fruta cozida ou um pedaço de mamão cru. Amasake, uma espécie de iogurte de arroz que se encontra em alguns mercadinhos naturais, também agrada muito às crianças. *vitamina de arroz e leite*

Pra quem gosta de usar leite de soja nas vitaminas dos mais velhos: troque por tofu. Já fermentou e ficou livre das toxinas do leite de soja. *vitamina com tofu frutas? no sol*

A sabedoria popular brasileira diz que só se deve comer fruta quando faz sol. Grande verdade: a fruta esfria o corpo, o que não convém de noite nem no inverno.

sorvetes

Sorvetes? Duas receitas facílimas da Bárbara, aprovadíssimas pela Lydia. De melancia: tire os caroços, bata no liqüidificador com uma pitadinha de sal, ponha na fôrma de gelo com uma pazinha de sorvete espetada em cada cubo, deixe uma noite no congelador. Pra outra noite: descasque uma banana bem madura, embrulhe em papel-mateiga e deixe congelar. Na hora de servir corte em rodelinhas e salpique gergelim torrado ou nozes ou castanhas picadinhas.

merendas

recheios de sanduíche, pastéis e panquecas

Se você tem pão integral feito em casa, meio caminho andado: recheie com pasta de cenoura ou abóbora; refogadinho de tofu com algas ou verduras; fatias finas de seitan (carne de glúten) e agrião no vapor; pasta de creme de gergelim (tahine) ou girassol misturado com 1/3 de misso, gotinhas de gengibre e bastante salsa.

Se não tem pão, aproveite as idéias de recheios para fazer pastéis ou mesmo, panquecas, que são mais rápidas.

Bolinhos de cereais, feitos de grãos bem macios ligados ou não com um pouco de farinha e temperados ou não, entram fácil e realmente alimentam.

bolinho de frigideira

Um bolinho rápido de frigideira: cozinhe o arroz que sobrou até ficar molinho; bata no liqüidificador um pouco de tofu com água e farinha de trigo; misture ao arroz; acrescente cheiro-verde picado, shoyu ou sal, e algum legume que ficou na panela, bem cortadinho; ponha na chapa untada com óleo de gergelim ou milho, às colheradas, e deixe secar.

quibe de forno

Faça quibe de forno com o triguilho deixado de molho e depois temperado. Tente também bolinhos doces de aveia em flocos misturada com banana madura ou maçã ralada e levados ao forno, ou salgados.

Quem tem acesso a lojinhas japonesas pode comprar uma

almofadinha de tofu chamada aguê, quadradinha ou retangular. Vem gordurosa, então ferva durante um minuto e esprema para tirar o óleo velho; mas abra um dos lados antes, que depois fica difícil. Agora recheie com macarrão e legumes, ou arroz temperado, e pronto: liqüidou a merenda, dá uma trouxinha riquíssima.

trouxinhas de aguê

creme de arroz tostado

para crianças de mais de três anos enfraquecidas ou com problemas digestivos. Toste o arroz, cozinhe com 5 partes de água e 1 pitada de sal durante 2 horas na panela de pressão. Coe com um pano fino, tempere com 1/4 de ameixa umeboshi desmanchada, crua, ou com gersal (1 de sal: 14 de gergelim), ou com alga nori tostada e esfarelada. Sirva várias vezes.

caldo de rã

é tradicional no tratamento de todos os problemas respiratórios mais graves como pneumonia, asma, bronquite crônica. A rã tem que ser abatida na hora, com a sua gratidão pelo sacrifício. Ponha para ferver com meio litro de água durante meia hora; use esse caldinho em jejum quando se trata de limpar os intestinos e os pulmões e fortalecer a flora intestinal: misture com creme de arroz, gotinhas de shoyu e salsinha picada se for o caso só de fortalecer sem precisar limpar tanto os intestinos. Dê durante uma semana, uma vez ao dia, usando o mesmo caldo para dois dias e guardando sempre na geladeira. Se quiser, aproveite a carninha da rã em outras coisas, para as outras pessoas da casa.

chá de araruta

se faz dissolvendo 1 colher de chá de araruta em pó em 1 copo de água; cozinhar mexendo sempre até ferver, juntar 1/2 colherinha de café de shoyu, cozinhar mais 1 minuto. Em vez de shoyu pode pôr 1/4 de ameixa umeboshi carbonizada. Fortalece a digestão e a condição intestinal, alivia o cansaço.

chá de raiz-de-lótus

que nasce dentro d'água e é mais caule do que raiz, mas já reparou como tem canais iguaizinhos aos nossos tubos respiratórios e digestivos? Pois limpa exatamente essas vias, ajudando a eliminar o muco e a cicatrizar as mucosas. A raiz-de-lótus pode ser fresca ou seca. Use 2 a 3 rodelas para cada copão de água, deixando ferver 20 minutos. Não vale tomar outro líquido durante o tratamento. E ponha gotas de gengibre se a condição for mais yang. Se conseguir a raiz fresca, rale, esprema num pano, junte outro tanto de água, deixe ferver, ponha 1 pitada de sal e apague. Junte gengibre se for o caso.

banchá

é um grande chá para uso diário: toste na frigideira, jogue 1 litro de água fervendo sobre 1 colher de sopa das folhas e galhos tostados, deixe em infusão por 15 minutos. Remineraliza, limpa, ajuda a digestão. Acaba com as cólicas. Só ferva, 5 minutos, se for para soltar o intestino.
Serve de colírio, também serve para lavagens vaginais e intestinais, sempre com sal marinho — menos que a água do mar — e morno.

chá de dente-de-leão

tonifica o fígado, o coração e os rins; limpa o sangue, yanguiza. Bom para uso diário.

chá de habu

neutraliza a acidez da urina e a fermentação intestinal, limpa as vias urinárias. No interior se conhece por fedegoso, mas tem que ser do miúdo. Torre 1 colher de sopa das sementinhas (cuidado que elas pipocam, tampe, mexa sempre) para cada litro de água fervente. Deixe em infusão até esfriar, mexa, tome em vez de água. Pra crianças use 1/4 da quantiade de sementes.

chá de artemísia

não pode faltar na prateleira. Além de ser vermífugo acalma o sistema nervoso neurovegetativo, ajuda a menstruação a descer abundantemente sem tensão pré-menstrual ou

cólica, estabiliza os hipertensos, ajuda a dormir profundamente. Pode ser fumada pura ou com tabaco, dá um relaxamento sem contra-indicações. No uso externo é desinfetante. Suas folhas secas ajudam a afastar os bichinhos devoradores dos cereais e dos feijões.
Não serve para grávidas nem para mães amamãetando.

ameixa umeboshi

uma das grandes invenções da história. É ácida, mas fica 3 anos mergulhada em sal marinho com shissó, uma folha conservante, e vira um estabilizador do pH ácido/alcalino do corpo. Serve para tudo o que seja causado por excesso de yin ou de yang, sobretudo nas vias digestivas. Dor de cabeça em 95% dos casos vem de intestinos em mau estado ou de fígado sobrecarregado, o que acidifica o sangue; a ameixa umeboshi ajuda rapidinho, pura ou dissolvida em banchá bem quente.
Para crianças até três anos só se dá 1/4 de ameixa umeboshi, sempre carbonizada. Carbonize assim: espete a ameixa num garfo e torre na chama do fogão por 10 minutos, segurando o garfo com um pano, claro, né, e virando sempre.

extrato de clorofila

como sumo de saião, salsa e brotinhos verdes de cereais, é um bom recurso para complementar vitaminas e minerais se for necessário um fortificante eventual. Soque as folhas embrulhadas num algodão fino, esprema, glupt!

para vermes

é jejuar de manhã, e no almoço comer só um punhado de arroz integral cru com outro tanto de sementes torradas de abóbora, girassol ou melancia. Tomar depois um chá bem forte de artemísia, e mais tarde dá pra comer normalmente o almoço. Repetir a dose mais 2 dias, e depois fazer uma vez por mês como manutenção.

prisão de ventre braba

se solta com 1 ou 2 colheres de sopa de óleo de gergelim em jejum, mas só de criança grande pra cima.

conjuntivite

é sinal de defesas fracas. Melhore a dieta e lave com chá de artemísia três vezes ao dia, pingue colírio de banchá com sal (bem dissolvido! coado!), ou simplesmente pingue leite de mãe.

para picadas de insetos

use cebolinha verde esfregada, sumo de cebola, de nabo comprido, de alho-porró, de rabanete, papinha de bicarbonato de sódio, misso, alho, gengibre, leite de magnésia.

emplastro de inhame com gengibre

é fantástico para extrair pus, farpas, gaze esquecida no abdômen, furúnculos sem olho, espinhas encruadas. Descasque e rale o inhame (é aquele peludinho); rale gengibre na proporção de 10% do inhame; misture farinha branca para dar liga. Unte a pele com óleo de gergelim ou copaíba e aplique o emplastro, cobrindo com uma gaze e trocando de 4 em 4 horas. Para maior efeito, aplique antes uma compressa quente de gengibre, que ativa a circulação.

emplastro de tofu

é ótimo para baixar febres. Prense o tofu para a água escorrer, pondo um peso em cima; depois misture a massa com farinha branca para dar liga, aplique e troque a cada 2 ou 3 horas.

emplastro de clorofila

se faz socando folhas bem verdes e misturando com farinha branca. Substitui o emplastro de tofu.

emplastro de raiz-de-lótus

fresca, nesse caso, para mover o muco acumulado nos brôn-

quios, garganta, nariz e sinus. Rale a raiz, rale gengibre na proporção de 5% da lótus ralada, junte farinha branca para dar liga. Estenda uma camada de 1 cm sobre uma gaze e aplique sobre a pele ao contrário, com a gaze para fora.

emplastro de carpa

especial para baixar a febre alta da pneumonia. Arranje uma carpa viva, sacrifique com toda a sua gratidão, amasse, misture com farinha branca. Estenda uma camada em papel-manteiga e aplique no peito. Se der, o paciente pode beber 1 ou 2 colheres do sangue da carpa antes do emplastro. Retire o emplastro assim que a febre baixar.

emplastro de mostarda

você só faz se tiver pó de mostarda amarela. Tem? Junte água quente, mexa bem e estenda sobre uma toalha de papel; ponha 2 toalhas de algodão finas, uma por baixo e outra por cima, e aplique na região até ela ficar um pouco vermelha e quente. Como o gengibre, a mostarda é picante e ativa a circulação.

compressa de sal marinho

esquenta qualquer parte do corpo e é valiosa nas diarréias, constipações, gripes e resfriados. Basta tostar o sal na frigideira, embrulhar numa toalha e aplicar na barriga, repetindo a manobra para manter a compressa quente durante uns 15 minutos.

compressa de gengibre

é genial para ativar a circulação e eliminar bloqueios. Ponha 4 litros de água para ferver. Enquanto isso rale 250 g de gengibre (pra compressa ele pode ser maduro, fibroso) e embrulhe num paninho. Quando a água começar a querer ferver apague o fogo, ponha a trouxinha lá dentro e tampe. 15 minutos depois molhe uma toalha de rosto nesse chá, torça e aplique na região em questão, cobrindo com outra toalha grande e seca ou um cobertor. Troque de 5 em 5 mi-

nutos por outra toalha quente, até a pele ficar vermelha. Detalhe: é bom, mas a quentura da toalha queima, dói. Na hora em que a gente está recebendo a compressa parece um absurdo. Prepare o espírito, do seu filho e o seu também. Com bom humor. Lembre que passa...

para aftas

que voltam pra casa junto com as crianças depois do fim de semana, banchá com umeboshi e umeboshi no local. Ou bicarbonato de sódio, localmente e em bochechos. As aftas revelam problemas na mucosa do estômago, por excessos na alimentação.

para acidez, azia, gases

o mesmo tratamento das aftas: banchá e umeboshi, ou 1 colherinha de gersal.

para queimaduras

mergulhe logo a região em água fria com sal marinho, até o vermelhão desaparecer. Também é bom passar misso ou shoyu depois de untar com óleo natural. O sal contrai a pele expandida pelo calor da queimadura. Sumo de babosa também funciona.

para escovar os dentes

as pastas comerciais são fogo: químicas, açúcar sintético, sabe-se lá o que mais, e tudo o que bate na língua provoca reações do estômago. No caso das pastas, geralmente reações ácidas. Prefira raspa de joá ou dentie. Pra fazer dentie, deixe carbonizar no fogo uma berinjela com seu cálice verde, reduza a pó, peneire bem e misture com 40% de sal marinho. Não torre o sal, fica abrasivo demais. Dentie cura qualquer gengivite, principalmente se usado depois do fio dental, e basta escovar os dentes com dentie uma vez por dia, ao deitar. Se não encontrar dentie nem joá, use ameixa umeboshi em caso de problemas e sal marinho natural, pouquinho, no dia-a-dia.

índice

nota biográfica 

A curiosidade me levou ao jornalismo, e como repórter aprendi a procurar as fontes, questionar, refletir. Dos 17 aos 29 anos escrevi para os públicos mais variados, dos anti-salazaristas do ultramar, através d'A'Semana Portuguesa, às fãs do meu amigo Jerry Adriani em InTerValo. Entrevistei muita gente, fotografei, andei por muitos cantos; escrevi poesia, peças de teatro, propaganda, tentei romance, tentei televisão; virei editora de histórias em quadrinhos e traduzi, fiz roteiros e historinhas.

Um dia me deu vontade de ir embora pro sítio tocar violão. Conheci o Pai José, ele deu a maior força. Passei pela casa de Luli, Lucina e Luís e saí sabendo fazer um ótimo arroz integral. Aprendi a costurar, cozinhar, fazer sapatos; foi então que tive tempo de estudar.

De um lado era a milenar medicina chinesa, que não derramava sangue nem precisava despir os pacientes para examinar. Bastava tocar os pulsos, na profundidade certa, para sentir cada um dos meridianos de energia que governam as funções materiais do corpo. Pulsações a mais ou a menos indicavam um excesso ou uma insuficiência de energia no meridiano, e isso mostrava o órgão ou sistema funcionando mal. Quer ver? Aperte aí, com o polegar da sua mão direita (não é pra massacrar!), a região que fica entre o polegar e o indicador no lado externo da sua mão esquerda. Vá procurando um pouco mais pra cima, por aí, assim — ah, doeu? Ponto 4 do Intestino Grosso. Como anda seu intestino, bem? Tem certeza? Massagear este ponto cura 2.914 coisas, inclusive dor de cabeça, e os livros do Juracy Cançado estão aí pra isso mesmo, colocando em português claro as maravilhas que a gente não saberia se ainda estivessem em chinês.

Eu estudava e ia praticando do-in, lendo o Michio Kushi, desaprendendo os remédios de farmácia e a comida centrada nos produtos animais; entrava em outra viagem do conhecimento.

E do outro lado freqüentava toda sexta-feira o único terreiro de Umbanda que conheci. Éramos um grupo de gente alegre, criativa e interessada que se encontrava lá para cantar, dançar, bater palmas, consultar sobre a saúde e chorar as mágoas ao pé dos pretos velhos, caboclos e exus. Mas tudo permeado pela linha do Oriente, que é voltada para a caridade e pesca com suas antenas os mesmos conhecimentos ancestrais dos chineses — e muito mais.

O terreiro era puro yin/yang, uma forma de utilizar o potencial de energia das pessoas para ajudar outras pessoas, de ensinar a gente a dar, a se dar e a receber. O canto, a dança, o ritmo, as palmas criam uma atividade intensa no organismo, o que oxigena o sangue e limpa nossos canais de energia; e a concentração espiritual relaxa nossas articulações mais profundas, dando flexibilidade para estarmos ativos e receptivos ao mesmo tempo.

As receitas e dietas que os velhos passavam também eram puro yin/yang, muito parecidas com a macrô. No começo me espantei, depois fui vendo que a macrô era parecida com a comida hebraica e que raiz de civilização é raiz de civilização, então não me espantei com mais nada, vesti roupa branca e fui alegremente dançar pro santo.

O terreiro dispersou, Vovó Catarina e a medicina oriental continuam, e de uns tempos pra cá comecei a escrever a mais longa reportagem da minha vida: primeiro foi o Prato Feito, depois o Sem Açúcar, Com Afeto, agora este e O Menino Que Não Queria Comer. E vêm aí a Dieta Sem Dieta, A Subversão do Corpo e A Panela do Brasil — se Deus me der saúde pra chegar lá. Agora que encontrei um assunto que vale a pena, me agüentem, leitores!

Uma dúvida. Deu pra entender, no decorrer do livro, que a luta não é contra a medicina profissional e sim contra a doença? Cuide da sua saúde como cuida de uma casa, sem varrer nada pra baixo do tapete, e vamos construir mais escolas e menos hospitais. Mas num momento de crise procure um médico, dois, vários — de acupuntura, homeopatia, centro espírita, alopatia. Toda doença tem dois estágios. O primeiro é funcional e você pode lidar com ele através de dieta, exercício, massagem, meditação, mantras e mais tudo o que for positivo, fundamentado, bem feito. O segundo estágio é quando a doença já apresenta alguma forma de lesão. Aí, olho vivo: deixe um profissional interferir no caso, e depois retome as práticas naturais como prevenção.

Muitos autores foram consultados na pesquisa: Michio Kushi, cuja obra é revolucionária; Rudolph Ballentine, Frances Moore Lappé, Leonard Jacobs, Cornellia Aihara, Tomio Kikushi, Eliane Page, Edson Hiroshi Seó, Jong Suk Yum, Richard Wilhelm; todos os que já escreveram na revista americana EastWest Journal, e todas as mães da redondeza.

O projeto gráfico, que Newton não pôde fazer, foi assumido pela turma da casa. Maria dirigiu a arte e selecionou os desenhos das filhas Branca e Alice, 8 anos e quase 7, e eu fiz a diagramação.

Joana, a comadre, foi fundamental nessa empreitada. Vicente estava com 6 meses, começando a desmamar, e ela ia pondo em prática o que o livro escrevia. Sem essa comprovação não haveria um trabalho honesto.

Muito obrigada a todos — e mais à Carla, à Fátima, ao Tonico, ao Pedro, ao Ivan e a todo mundo que deu força.

Continuo achando que não há nada melhor que um amigo.

Novembro de 84, Santa Teresa, Rio de Janeiro.

P.S. — A rosácea das páginas 18 e 95 foi criada por Newton Montenegro de Lima para o Prato Feito e redesenhada para o Sem Açúcar. Partiu de esquemas religiosos hindus e propunha uma possível organização do universo de alimentos: os cereais no centro e em volta os feijões, as raízes, os legumes, as verduras, os produtos animais e os complementos. Neste livro ela entrou como outra visão das transformações da energia em seu ciclo, cheia e vazia ao mesmo tempo, yang e yin, em vez da representação tradicional que é uma estrela de cinco pontas.

Podia, Newton?

Desenhos, Branca e Alice Lanari Santos Freire
Projeto gráfico, Sonia Hirsch e Maria Elisa Freire
Composição, Ivan Carvalho
Revisão, Maria de Fátima Barbosa e Janice C. Medeiros
Montagem, Tonico Fernandes
Primeira edição, Rocco 1984

CorreCotia
WWW.CORRECOTIA.COM